© Tana éditions 2003

ISBN : 2-84567-126-1

Dépôt légal : septembre 2003

Conception graphique et mise en page : Science & Vie Junior

Adaptation de la maquette : Andréa Le Naour

Coordination éditoriale : Stéphanie Zweifel


Imprimé en Espagne

# L'UNIVERS DE SCIENCE & VIE Junior

## Sous la direction de Phillipe Testard-Vaillant

Tana
éditions

# SOMMAIRE

Celles et ceux qui lisent Science & Vie Junior le savent depuis longtemps : la curiosité est un très beau défaut. Ceux et celles qui vont découvrir la revue à travers cette sélection d'articles s'en souviendront. Et ne risquent pas de le regretter. « L'homme est une machine à apprendre », a écrit le prix Nobel de médecine François Jacob. Et jamais l'homme n'a eu autant de choses à apprendre. Jamais sa matière grise n'a autant frémi sous le fumet des labos, jamais autant de coins de voile ne se sont levés, même s'il reste tant d'obscurité à dissiper. « Belle époque », sur ce plan. Physique, paléontologie, biologie, astronomie… : il ne se passe pas de jour sans que les savants ne s'aventurent dans les régions infiniment petites de la matière, n'explorent les provinces infiniment vastes de l'Univers, n'écrivent quelques pages de plus sur l'origine de la vie, ne rallongent pour le meilleur, et parfois, hélas, pour le pire, le catalogue des inventions techniques. Ne pas vouloir se tenir au courant de toutes ces expériences, réussies ou ratées, de tous ces mystères encore à percer et de tous ces progrès, modestes ou prestigieux, c'est se priver du plus gratifiant des sésames, surtout à l'âge de tous les appétits : la connaissance. Vous qui tenez ce livre entre les mains, vous avez fait le pari inverse. Vous avez tout à y gagner. D'autant que Science & Vie junior s'est toujours fixé la même ligne de conduite : traduire en clair des choses parfois très complexes, mais toujours passionnantes. En voici la preuve. En images et en hommage à la science.

Bonne et enrichissante lecture.

*Philippe Testard-Vaillant*

IMAGINER

# PLONGEZ DANS LE CINÉMA

Imaginez une salle de ciné où, à peine les lumières éteintes, l'écran, le sol, les murs et le plafond disparaissent, vous laissant flotter au milieu d'un paysage infini dont les personnages vous frôlent, vous dépassent... Tel est le cinéma de demain imaginé par des informaticiens américains. Un projet sur lequel SVJ fait toute la lumière.

PAR FRANÇOIS DE BUEGER AVEC PHILIPPE TESTARD-VAILLANT

# DU FUTUR

# HOLOGRAMMES

e 28 décembre 1895, lors de la première séance publique de « cinématographe » organisée par les frères Lumière (Louis et Auguste), boulevard des Capucines, les spectateurs éberlués durent se pincer pour y croire. Comment des ouvriers sortant de l'usine pouvaient-ils trottiner, en plein Paris, sur un écran tout blanc et tout plat ? Plus personne, aujourd'hui, ne se pose ce genre de questions. Et c'est à peine si les effets spéciaux les plus géniaux nous arrachent un petit haussement de sourcils. Un tantinet blasés, les cinéphiles 2003 ? On dirait bien que oui... Mais plus pour très longtemps, à en croire les têtes chercheuses de la société texane Zebra Imaging ! C'est que, d'ici une (grosse) poignée d'années, ces sorciers de l'informatique se font fort de déclencher des Niagara de waouh !

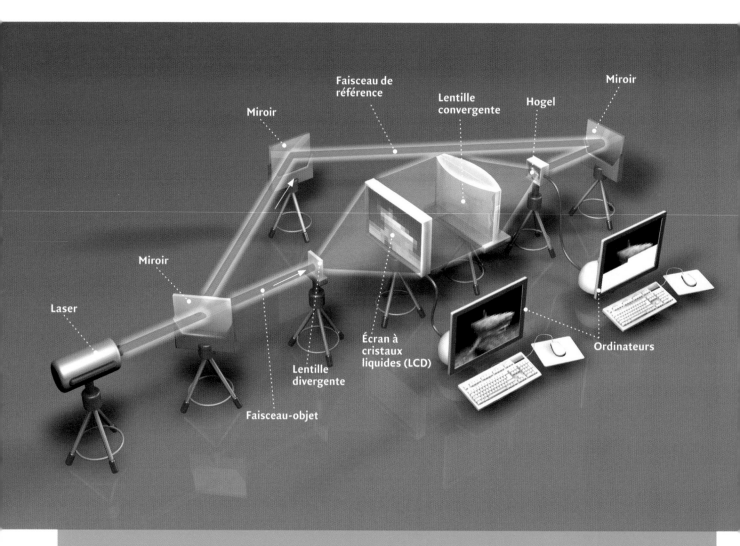

**Miroir** · · · · · · · · · · · · · · ·

**Faisceau de référence**

**Lentille convergente**

**Hogel**

**Miroir**

**Miroir**

**Laser**

**Lentille divergente**

**Faisceau-objet**

**Écran à cristaux liquides (LCD)**

**Ordinateurs**

## L'HOLOGRAMME NUMÉRIQUE

La technique diffère peu de celle de l'hologramme classique (voir page ci-contre). On divise en deux faisceaux le rayon d'un laser. Le premier faisceau, dit « de référence », est guidé par un jeu de miroirs sur un hogel (minuscule écran holographique). Le second, le « faisceau-objet », est dirigé sur un écran à cristaux liquides. Celui-ci ressemble à une sorte de grille de mots croisés, où des cases noires et blanches (pixels) représentent respectivement des o et des 1. Ce sont les données numériques obtenues lors du montage et du découpage du film.

Elles contiennent toutes les informations optiques sur le relief et la couleur de la scène réelle. La rencontre des deux faisceaux imprime ensuite une image du plan en relief sur le hogel. Celui-ci transmet les données de l'hologramme qui se crée, via un câble, jusque dans le disque dur d'un ordinateur. Cette technique est très avantageuse. L'acquisition de l'hologramme est moins encombrante, moins coûteuse et plus rapide car elle réduit notablement les temps d'exposition et la puissance des lasers nécessaire. Cette méthode profite en plus de l'amélioration constante des processeurs.

## CRÉATION D'UN HOLOGRAMME CLASSIQUE

Dans un cliché photo, la pellicule est plus ou moins impressionnée selon les intensités des ondes lumineuses renvoyées par le sujet photographié. Cela suffit pour tirer le portrait de bébé, mais pour l'admirer véritablement en 3D, il manque une information essentielle : les distances parcourues par chacune des ondes. Sans les connaître, impossible de reproduire le relief du sujet. Or cette information est bien contenue dans les ondes lumineuses par le biais de ce que les physiciens ont baptisé la « phase ».
Si l'on imagine une première onde comme une succession de vagues avec ses crêtes et ses creux toujours séparés par le même intervalle, puis une deuxième onde parfaitement identique mais émise d'un peu plus loin, le décalage entre leurs vagues respectives correspond à une

différence de phase (la hauteur de la vague correspondant à l'intensité). Tout le problème est donc de parvenir à lire cette information. Pour cela — c'est le principe même de la technique holographique — on utilise un faisceau laser pour éclairer un objet. La lumière laser a en effet l'avantage d'être monochromatique (d'une seule couleur) et cohérente, c'est-à-dire que ses ondes voyagent en phase.
Ainsi, pour réaliser un hologramme classique, on emploie un laser dont on divise le rayon en deux faisceaux. Ces deux faisceaux laser, issus de la même source, sont dirigés contre une plaque en verre ou en plastique recouverte d'une gélatine photosensible (la plaque holographique). Mais, voilà la ruse, tous deux n'empruntent pas la même route. Le premier (le « faisceau de référence ») fonce sur sa cible, sans croiser d'obstacle, tandis que le second (le « faisceau-objet ») prend le chemin

des écoliers pour arriver jusqu'à l'objet (ci-dessous, un requin). S'ensuivent de multiples déphasages dont il profite pour emmagasiner les informations sur la forme et le volume dudit objet. En bout de course, la superposition des deux faisceaux se traduit, sur la plaque holographique, par l'impression de franges d'interférences sombres ou claires, selon que l'intensité du « faisceau-objet » dépasse ou non celle du « faisceau de référence ». Cet amas de points plus ou moins brillants ne ressemble en rien, à l'œil nu, à l'objet réel. Pour reconstituer l'image dans ses moindres détails et obtenir un double virtuel parfait, en couleurs, un dernier coup de laser suffit. Le tour est joué. Et l'illusion parfaite. Toutefois, certains hologrammes peuvent être fabriqués différemment et être visibles à la lumière blanche (par exemple ceux présents sur les cartes de crédit). Mais ils perdent alors en relief et en qualité d'image.

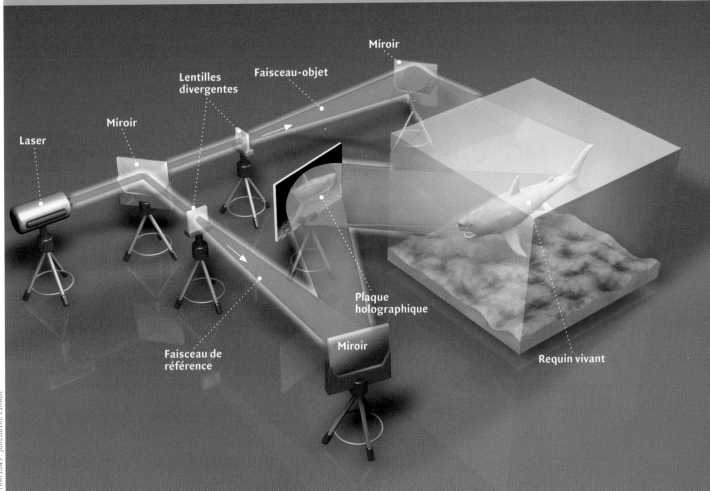

Miroir

Lentilles divergentes

Faisceau-objet

Miroir

Laser

Plaque holographique

Faisceau de référence

Miroir

Requin vivant

# HOLOGRAMMES

dans les salles obscures et de révolutionner l'idée que l'on se fait aujourd'hui du septième art. Leur trouvaille, qui tient la route sur le papier et qui fait saliver : transformer les salles en hologrammes géants, à la manière du mirifique simulateur «Holodeck» (créant des univers virtuels parfaitement réalistes) de la série *Star Trek*, et submerger chaque spectateur sous un déluge d'images tridimensionnelles.

la recherche de chair fraîche. Première nouveauté : vous voilà les fesses calées dans un fauteuil mécanisé et programmé pour suivre automatiquement — tout en douceur ou, si nécessaire, tout en secousses — l'action du film. Deuxième bizarrerie : plus d'écran unique, mais des milliers d'exemplaires miniatures tapissant la salle de projection du sol au plafond, portes comprises. Troisième surprise, à couper le souffle : à l'instant même où le noir se fait et que démarre le générique, un flot d'images démultipliant votre champ de vision vous enveloppe de la tête aux pieds, vous immerge littéralement, et transforme l'espace entier en un aquarium géant !

Que vous regardiez à droite, à gauche, en bas, en haut, vos pupilles se dilatent : vous nagez en plein océan, sans masque ni tuba ! Une raie plus vraie que nature, quasiment palpable, vient vous frôler les cheveux, un poulpe vous rase les jambes, un crabe vous agite ses pinces sous le nez. Quand, sans prévenir, votre siège pivote et là, surgissant des profondeurs toutes dents dehors, un requin géant vous fonce dessus ! D'un brusque coup de nageoire, le monstre se rapproche, se rapproche et... vous traverse le corps avant de plonger sous votre siège et d'engouffrer le calamar qui sommeillait dans votre dos ! Fin du fin : tout hologramme pouvant se contempler sous de multiples angles, personne ne verra le

*contre*) pour en voir un. Mais aujourd'hui ils sont monnaie courante. Ils apparaissent en général sous forme de plaquettes, minces comme une crêpe, et présentes, entre autres, sur les cartes de crédit et certains billets de banque. Quand vous les regardez, oh ! miracle, un objet apparaît en 3D, et si vous vous penchez, de nouveaux détails surgissent (*voir dessin ci-dessous*).

Reste que si la technique holographique a progressé à bonds de kangourous depuis l'époque héroïque, on est loin, très loin de savoir animer un hologramme géant. Forte de son expérience dans la fabrication d'hologrammes fixes mais géants, Zebra Imaging s'est attelée à la tâche, tout en étant bien consciente que la «cinéholographie» est plutôt pour après-demain que pour demain. Car de l'aveu même de Robin L. Curle, patronne de Zebra Imagining, transformer un hologramme standard (donc une image fixe) en film vidéo n'est pas un jeu d'enfant. «Je suis convaincue que cette nouvelle forme de cinéma finira par voir le jour. Mais pour l'instant, nous nous débattons dans les problèmes techniques et artistiques», reconnaît-elle.

Le tournage du film, tout en exigeant une armada de caméras vidéo couplées à une batterie d'ordinateurs surpuissants (*voir encadré ci-contre*), ne devrait pas causer trop de soucis. La projection, en revanche, a toutes les chances de virer au casse-tête. Encore

L'hologramme : une image que l'on peut contempler, comme ce zèbre, sous divers angles.

# IMMERSION TOTALE DANS L'IMAGE

Pour vous faire une — petite — idée de ce que sera une «toile» à la sauce Zebra, high-tech en diable, inspirez un grand bol d'imagination et transportez-vous en 2030. Au programme : *La Terreur du Pacifique*, un thriller aquatique où un requin se taille la part du lion et farfouille dans les abysses à

film de la même façon que vous, parallaxe ❓ oblige.

Magique ? Pas tant que ça... Pour donner un maximum de relief au cinéma de demain et faire couler l'adrénaline à gros bouillons, les techniciens de Zebra Imaging comptent sur de vieilles connaissances des physiciens : les hologrammes (du grec *holos*, qui signifie «tout», et *graphein*, «écrire»), théorisés par le chercheur britannique d'origine hongroise Dennis Gabor en 1947. Il a fallu attendre l'invention du laser (*voir encadré ci-*

que... Pour Robin L. Curle, la solution miracle porte un nom : les «hogels» (*voir dessin ci-dessus*). Autrement dit, de minuscules écrans holographiques de 2 mm² contenant chacun une parcelle de l'hologramme et qui, pour peu que des bidouilleurs de génie parviennent à les faire travailler de concert, restitueraient l'hologramme entier à chaque séance.

Plus facile, naturellement, à dire qu'à faire. Car pour le moment les chercheurs butent sur un os de taille : acheminer, depuis les

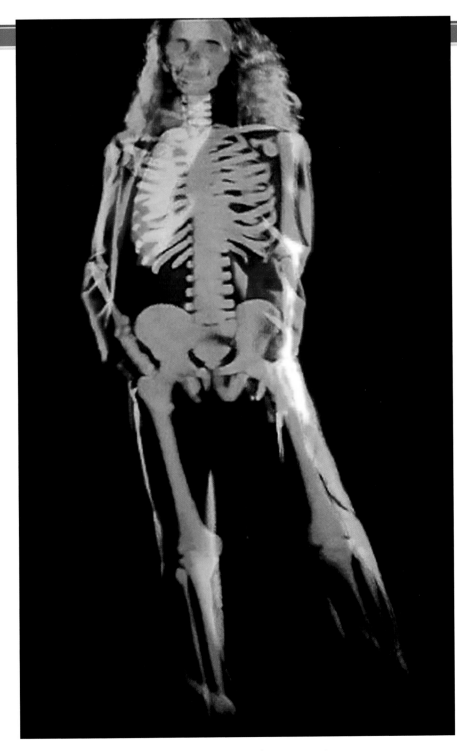

HOLOGRAPHICS NORTH, INC.

**Attention ! une image peut en cacher une autre… Réunis en un même hologramme, squelette et silhouette apparaissent à tour de rôle.**

disques durs des ordinateurs jusqu'aux hogels, via des mètres de câbles, les milliards de données numériques qui composent un film holographique. Or aucun de ces écrans de poche n'est encore en mesure de traiter une telle masse d'informations sans exploser. « C'est effectivement énorme, reconnaît Mark Holzbach, l'un des fondateurs de Zebra. La mémoire totale dont devraient disposer les disques durs pour assurer la projection d'un film holographique équivaut à plusieurs millions de milliards d'octets. Les hogels, eux, auraient à en traiter quelques centaines de milliards ! » D'où la nécessité de « booster » copieusement ces derniers pour les aider à digérer une telle plâtrée d'octets. Ce qui pourrait prendre, selon les experts, de dix à trente ans…

Et, à supposer que toutes ces embûches soient un jour surmontées, le cinéma ne sera pas le seul à profiter des bienfaits de la vidéo holographique. Les chirurgiens, notamment, se frottent d'avance les mains à l'idée de disposer un jour, dans les blocs, d'un tel système d'imagerie pour visualiser sous toutes les coutures l'endroit à opérer avant d'empoigner leur scalpel. Rien n'empêche non plus d'imaginer que le procédé serve à reconstituer, dans le moindre détail, la vie dans une grotte préhistorique façon Lascaux, les rues de Paris en 1789 ou le faste de la cour des pharaons. Sans oublier les jeux vidéo : à côté de ceux qui nous attendent — où les joueurs seraient immergés au cœur de l'action, manettes en main —, les consoles d'aujourd'hui ont déjà l'air d'antiquités. Réalisme maximal et roulements d'yeux assurés : tope là ! ●

## Tournage et montage d'un film holographique

**Les caméras encerclent l'action et la filment sous toutes les perspectives, sans en perdre une miette. Un puissant ordinateur s'occupe alors de gérer ces dizaines — voire centaines — de prises de vue. Il décompose chacune en milliers d'images, elles-mêmes découpées en milliers de points. Un logiciel informatique traite ensuite cette masse d'informations. Il trie et recoupe méthodiquement les milliards de points jusqu'à recomposer numériquement chaque scène et son relief. Celles-ci apparaissent sous la forme d'une longue suite de o et de 1, et peuvent alors être reconstituées sous la forme d'un hologramme grâce au procédé de fabrication numérique (voir dessin p. 12).**

**Remerciements à Robin L. Curle et Mark Holzbach, de Zebra Imaging, et à Yves Gentet, de l'Atelier de création d'art en holographie.**

13

Grâce à l'utilisation de cellules souches, les médecins espèrent pouvoir reconstituer à volonté le corps humain. Le cœur fatigué, le cerveau qui flanche, un fémur en charpie ? Qu'à cela ne tienne : on va vous réparer tout ça !
par Sophie Laurant

ILLUSTRATIONS : MICHEL SAEMANN

**«C'**est incroyable que nous ayons encore des accidents de moto en 2040 ! » grommelle la chirurgienne en se passant les mains dans l'enceinte sèche stérilisante. Son assistant se retourne et observe, à travers la vitre, le patient en salle d'opération : « Ce n'est pas de sa faute : son système de freinage automatique, normalement déclenché par le compteur de la moto, n'a pas fonctionné et il a pris le virage trop vite... comme au bon vieux temps ! Heureusement pour lui, les pompiers ont pu récupérer sa jambe arrachée en bon état et l'ont placée dans une enceinte physiologique thermorégulée. Mais il va tout de même falloir faire repousser une vingtaine de centimètres de tissus entre le moignon et la jambe ! »

## Des cellules en stock à la banque

La chirurgienne soupire : grosse opération en perspective pour un jeune gars de 18 ans ! Il faut reconnaître que la nouvelle loi qui oblige tous ceux qui passent un permis de conduire à donner leurs cellules souches *(voir encadré ci-contre)* à la banque de tissus s'avère bien utile en pareil cas : on va pouvoir lui greffer ses propres cellules, ce qui évitera tout risque de rejet comme ce serait le cas avec des cellules d'un donneur. Amenées dans la nuit par avion du centre de stockage européen où elles étaient conservées, elles contribueront à reconstituer la jambe de ce jeune Toulousain qui a eu le malheur de déraper sur une autoroute de la région parisienne.

Ce matin de janvier 2040, tout est fin prêt dans ce service de pointe de chirurgie réparatrice et orthopédique. La chirurgienne va saluer le patient, très pâle et tendu malgré les traitements qu'il a reçus depuis la veille au soir pour ne pas souffrir. « Comment t'appelles-tu ? » demande la professionnelle d'un ton un peu bourru. « Cédric », souffle le jeune homme. « Ne t'inquiète pas, Cédric, tu remarcheras, je te le promets. Ce n'est pas vraiment de la routine que de faire repousser les jambes, mais tu n'es pas non plus le premier à qui cela arrive. Nous possédons bien la technique, à présent. »

Cédric sourit faiblement. Ce qui l'inquiète le plus, pour le moment, c'est l'idée qu'il va rester conscient. L'anesthésiste lui a expliqué qu'il lui avait injecté par voie péridurale une substance insensibilisante très puissante qui l'empêchera de sentir tout ce qui se passe en dessous de la taille. N'empêche, c'est angoissant d'assister à sa propre opération sur l'un des écrans télé de la salle ! Heureusement, une infirmière lui installe le casque et les lunettes vidéo qui lui permettront de regarder les films

qu'il a choisis et d'oublier les chirurgiens qui vont réparer sa jambe arrachée.

Pendant ce temps, l'équipe finit d'installer les instruments et vérifie que tous les matériaux qui vont servir de support à la repousse des tissus sont prêts. Le robot opérateur est en veille, mais en cas de difficultés techniques, la chirurgienne pourra passer les rênes, à distance, à son ancien patron qui travaille désormais à San Francisco.

## Colle biologique et tuyaux en plastique

Le plus urgent est de rétablir la circulation sanguine entre le membre arraché et la cuisse. Artère après artère, veine après veine, en commençant par les plus gros vaisseaux qui irriguent toute la jambe, les chirurgiens ôtent les clips de colle biologique hémostatique qui évitaient l'hémorragie. Ils suturent à chaque bout des vaisseaux sectionnés un tuyau souple en polyglycolate, une sorte de plastique résorbable qui disparaîtra dans quelques semaines, lorsque les cellules immatures de paroi artérielle auront repoussé le long de ce manchon et colonisé tout le tuyau, le transformant en un nouveau vaisseau.

Pour stimuler la prolifération des cellules, un biologiste a tapissé, durant la nuit, l'intérieur des tuyaux de plastique avec une culture de cellules souches du patient, récupérées à la banque de tissus. Elles vont rapidement se multiplier et reconstituer la véritable paroi interne du vaisseau. À partir de cette première enveloppe, de jeunes cellules vont proliférer et se spécialiser pour former la paroi extérieure du nouveau vaisseau.

# Des cellules bonnes à tout faire

Au début du développement de l'embryon, les cellules d'un être humain ne sont pas spécialisées. Mais au fil de la croissance, elles évoluent et se transforment pour donner par exemple des globules blancs, des cellules de la peau ou de l'os ou bien encore les parois des vaisseaux sanguins. Elle sont alors chargées d'effectuer une tâche précise dans l'organisme : transporter de l'oxygène pour les globules rouges, transmettre l'influx nerveux pour les neurones, ou sécréter les sucs digestifs pour les cellules de l'estomac... Une fois spécialisées, elles sont incapables de revenir à leur état d'origine, autrement dit de redonner n'importe quel type de cellule comme au début de la vie embryonnaire. Impossible, par conséquent, de les utiliser pour fabriquer un organe ou un membre tout neuf. Cependant, on a découvert récemment qu'il subsistait, malgré tout, dans chaque tissu du corps humain, un petit nombre de cellules dites « cellules souches somatiques » : spécialisées dans un travail précis, elles ont toutefois conservé une certaine capacité à « rajeunir ». Elles sont donc de bonnes candidates pour être reprogrammées à faire autre chose, à condition que ce ne soit pas trop loin de leur spécialité de départ. S'ils ignorent comment diriger le mécanisme de leur différenciation, les biologistes cherchent aujourd'hui à les influencer en modifiant leur environnement. Ainsi, le 15 juin 2001 à Paris, le professeur Philippe Ménaché, chirurgien cardiaque à l'hôpital Bichat, a réalisé une intervention novatrice sur un patient souffrant d'une lésion du muscle cardiaque. Le chirurgien a d'abord prélevé sur le muscle de la cuisse de son patient ces fameuses cellules souches somatiques. « Une fois implantées dans le cœur, ces cellules se sont multipliées et ont reconstruit des fibres musculaires capables de se contracter, observe Philippe Ménaché. Elles semblent s'être très bien adaptées à leur nouvel environnement et se sont mises à produire une substance qui assure les contractions cardiaques. »

En 2003, d'autres patients devraient bénéficier de ces nouvelles greffes. Les cellules musculaires qui actionnent habituellement leur squelette seront prélevées et utilisées pour « réparer » les lésions de leur cœur malade. Résultats aux alentours de 2005. Et si cela marche pour le cœur, il n'y a pas de raison que l'on s'arrête là.

# Rétablir la circulation sanguine

Chaque vaisseau sanguin sectionné du haut de la cuisse est raccordé à son extrémité du bas par un tuyau en polyglycolate (un plastique biodégradable). Pour que veines et artères fonctionnent de nouveau, les chirurgiens injectent dans les tuyaux des cellules souches du patient (elles étaient stockées dans une banque de cellules personnelles). Elles se multiplient et reconstituent d'abord la paroi interne des vaisseaux, puis leur paroi externe. Les tuyaux disparaîtront en quelques semaines.

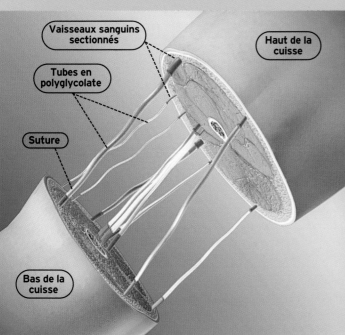

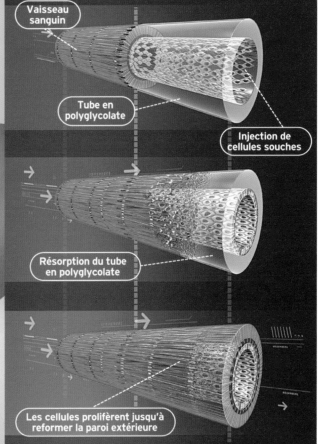

Vaisseau sanguin

Tube en polyglycolate

Injection de cellules souches

Résorption du tube en polyglycolate

Les cellules prolifèrent jusqu'à reformer la paroi extérieure

Vaisseaux sanguins sectionnés

Haut de la cuisse

Tubes en polyglycolate

Suture

Bas de la cuisse

### Un os en céramique...

L'assistant tend ensuite à la chirurgienne un cylindre en céramique poreuse comme un corail. Ce cylindre a la forme du morceau de fémur qui a été arraché lors de l'accident. Cette prothèse a été façonnée durant la nuit à partir des mesures en trois dimensions du fémur de Cédric obtenues par scanographie. La machine-outil du service biomédical a réalisé ensuite la pièce dans une céramique rendue stérile. La jeune femme polit légèrement les extrémités des os cassés pour les adapter parfaitement au cylindre. Ainsi les deux jambes seront exactement aux mêmes dimensions. Dépassant des deux bouts du « faux fémur », une vis en matière résorbable sert à fixer le morceau de prothèse sur le vrai os.

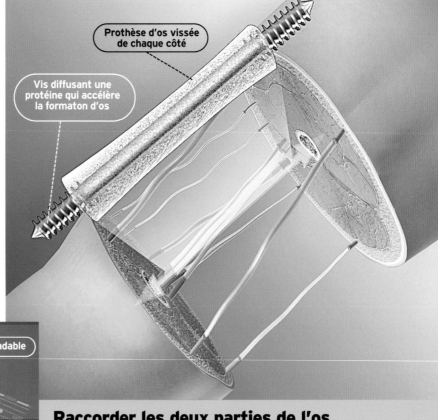

Prothèse d'os vissée de chaque côté

Vis diffusant une protéine qui accélère la formaton d'os

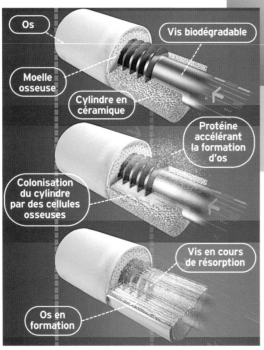

Os

Vis biodégradable

Moelle osseuse

Cylindre en céramique

Protéine accélérant la formation d'os

Colonisation du cylindre par des cellules osseuses

Vis en cours de résorption

Os en formation

ILLUSTRATIONS : MICHEL SAEMANN

### Raccorder les deux parties de l'os

Une prothèse est façonnée sur mesure. La céramique qui la constitue est une matière poreuse qui favorise sa colonisation par les cellules osseuses. La prothèse est traversée d'une vis qui sert d'une part à la fixer au fémur cassé et d'autre part à diffuser une protéine qui stimule la fabrication d'os.

« Vous êtes sûre que le faux os va prendre comme une vraie greffe ? » demande un interne stagiaire qui n'a encore jamais assisté à ce type d'opération. La jeune femme sourit et prend le temps d'expliquer : « Cela fait des dizaines d'années que l'on emploie avec succès ces céramiques poreuses qui se laissent très bien coloniser par les cellules osseuses du patient. Mais dans un cas comme celui-ci, il faut aider un peu la nature. Alors nous avons transformé cette vis en diffuseur continu de BMP. »

L'étudiant comprend tout de suite l'intérêt de l'innovation : la Bone Morphogenic Protein (BMP) est une substance produite par les cellules du sang qui stimule la fabrication d'os lorsqu'il y a une fracture. Mais son effet est très peu durable, d'où l'importance d'avoir un diffuseur interne qui va stimuler pendant des semaines la repousse osseuse !

### Culture d'os en labo

L'idée de base est d'aider la nature en greffant un support, une « trame » en « biomatériau », une céramique de phosphate de calcium qui imite la consistance minérale de l'os. Elle doit être très poreuse pour permettre aux cellules osseuses voisines de coloniser peu à peu cette prothèse et aux cellules des petits vaisseaux sanguins, les capillaires, de l'irriguer (on dit « vasculariser »), au moins en surface. C'est ainsi que l'on répare aujourd'hui les hanches.

Le hic, c'est que lors de l'opération, le corps, qui se sent agressé par la pose de ce « faux », déclenche une réaction inflammatoire (les globules blancs se mobilisent pour rejeter le corps étranger) qui peut gêner la reconstruction de l'os et sa revascularisation. D'où l'idée de faire commencer cette colonisation de l'implant en laboratoire, avant la greffe, par des cellules souches prélevées dans la moelle osseuse du patient. Lors de l'implantation, la réaction inflammatoire est bien moindre puisque des cellules souches osseuses ont déjà transformé le corps étranger en un os presque naturel et font plus vite la jonction avec celles de l'os en place. Des essais sur l'animal ont très bien réussi : « On s'aperçoit que la repousse de l'os marche beaucoup mieux si l'on implante aussi des cellules capables de fabriquer des capillaires », commente Charles Bacquey, directeur de l'unité de recherche sur les biomatériaux et la réparation tissulaire de l'Inserm*. Reste à tester ce procédé chez l'homme dans quelques années.

\* Institut national de la santé et de la recherche médicale.

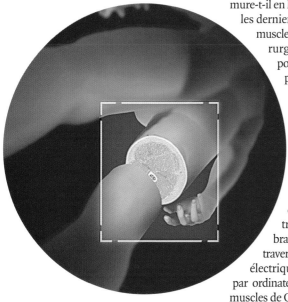

mure-t-il en les lui tendant. Avant de terminer les derniers collages biologiques entre les muscles et les poches résorbables, la chirurgienne injecte ces solutions de populations cellulaires dans chaque poche, dont les parois ont été enduites de produit nutritif.

Si tout se passe bien, les cellules – provenant du « compte en banque » personnel du patient – doivent proliférer et repousser selon la forme du muscle, assurant finalement le lien entre les deux moignons. La chirurgienne dispose sur les muscles réparés de très fines électrodes qui seront branchées à la fin de l'intervention, à travers la peau, sur un ministimulateur électrique portable. Contrôlé à distance par ordinateur, il permettra de stimuler les muscles de Cédric et d'orienter la repousse et l'organisation des cellules souches destinées

à devenir musculaires ou tendineuses. La sueur, due à la concentration extrême, commence à perler sur son front, qu'une infirmière vient essuyer. Les dispositifs contre la transpiration ne sont toujours pas très au point. Ouf, ça y est ! Fini pour les muscles. Mais il faut encore recommencer la même chose pour les tendons…

Son assistant, comme à chaque étape de l'opération, prend bien soin d'appliquer une solution de bactériophages, des virus qui dévorent les bactéries. « Quel progrès, pense-t-il. Mille fois mieux que les antibiotiques ! Jamais on ne pourrait faire ce type d'opération si on redoutait les infections, comme il y a encore vingt ans… »

Reste encore les nerfs. Heureusement pour Cédric, son membre est sectionné à mi-cuisse. À cet endroit un seul gros « câble », le nerf sciatique, transporte les informations depuis le cerveau, la moelle épinière jusqu'aux doigts de pied et réciproquement. La manœuvre de raccordement est donc plus simple que s'il

## … et des muscles en sachets

Déjà, la chef de service s'attaque à réparer les muscles sectionnés du jeune homme. Elle remplace les 20 cm manquants par des poches en plastique très souple, biocompatible et résorbable, qui sont exactment de la même forme que les muscles. Beau travail ! admire-t-elle intérieurement. C'est le laboratoire des bioprothèses de l'hôpital qui a bossé toute la nuit pour mouler ces poches aux dimensions voulues à partir des images 3D de la résonance magnétique de Cédric. Le biologiste s'approche avec toute une série de seringues à injection : « Les cellules souches musculaires », mur-

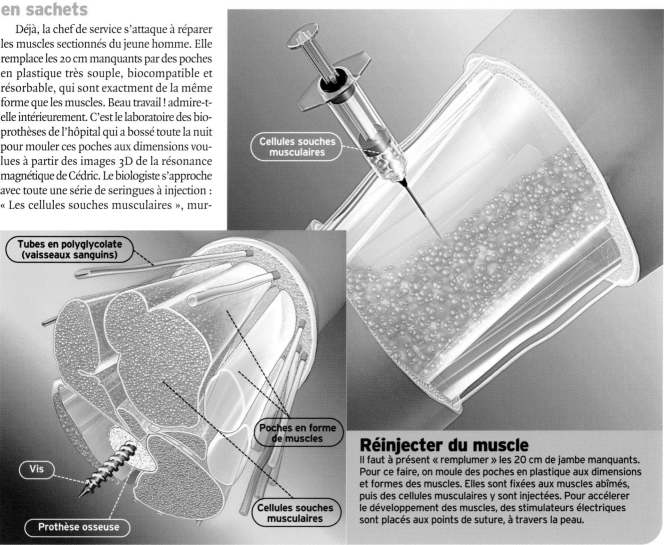

Cellules souches musculaires

Tubes en polyglycolate (vaisseaux sanguins)

Poches en forme de muscles

Cellules souches musculaires

Vis

Prothèse osseuse

### Réinjecter du muscle
Il faut à présent « remplumer » les 20 cm de jambe manquants. Pour ce faire, on moule des poches en plastique aux dimensions et formes des muscles. Elles sont fixées aux muscles abîmés, puis des cellules musculaires y sont injectées. Pour accélérer le développement des muscles, des stimulateurs électriques sont placés aux points de suture, à travers la peau.

avait eu le pied, le bras ou la main arrachés. La veille, on a appliqué en urgence sur les extrémités des nerfs sectionnés, un manchon de gel. À l'intérieur, des produits favorisant la repousse nerveuse et des cellules capables d'empêcher la cicatrisation naturelle du nerf. En effet, cette cicatrisation crée un véritable mur infranchissable qui empêche de « rétablir le courant ».

## Du nerf, plus vite que ça !

Ce matin, il faut rétablir le contact, avec une gaine artificielle, entre la partie encore vivante du nerf et l'autre bout sectionné *(voir dessin ci-dessous)*. Tout nerf étant formé d'une multitude de fibres nerveuses — les axones — regroupés par paquets — les fascicules — la gaine artificielle est un cylindre percé de trous

correspondant chacun à un fascicule. On tapisse chacun de ces orifices de cellules de myéline, qui constitue normalement le tube de guidage des fibres nerveuses. En suivant cette gaine artificielle de 20 cm, puis les gaines des fibres nerveuses qui ont dégénéré sous la section, les axones vont repousser comme les racines d'une plante jusqu'au bout du pied. La repousse naturelle est d'environ

1 mm par jour. Mais à présent, on atteint 5 cm par mois grâce à des cellules gliales génétiquement modifiées. Ces cellules nourricières disséminées entre les fascicules ont été programmées pour sécréter des substances qui facilitent la repousse.

« Admirez le progrès, murmure la chirurgienne entre ses dents. Il y a encore dix ans, on ne savait pas bien rendre leur sensibilité aux membres que l'on reconstruisait. Et par conséquent cela ne valait pas vraiment le coup de les faire repousser. Celui-ci, si sa petite amie lui chatouille la plante des pieds d'ici, disons, dix mois, il devrait rigoler comme un bossu ! »

## Les virus au secours des nerfs

Lorsqu'un nerf est coupé, les cellules gliales, nécessaires à la nutrition des neurones, se mobilisent pour cicatriser la lésion le plus vite possible. « Cette cicatrice comble l'espace laissé libre par les axones manquants et empêche la repousse. Il faut donc stopper cette réaction », raconte Alain Privat, directeur à l'Inserm du laboratoire Développement, plasticité et vieillissement du système nerveux. Pour l'instant, des essais ont réussi sur des souris, chez lesquelles on a bloqué l'action des gènes des cellules gliales qui provoquaient la cicatrisation. Mais, en cas d'accident, il faut agir très localement et très rapidement pour empêcher cette cicatrisation. Alain Privat estime que c'est seulement lorsqu'on saura envoyer vers le nerf sectionné des virus (rendus inoffensifs) porteurs de gènes capables de modifier l'action des cellules en place – lorsque la technique dite de thérapie génique sera parfaitement au point –, que l'on saura vraiment réparer les nerfs. Probablement d'ici à une dizaine d'années.

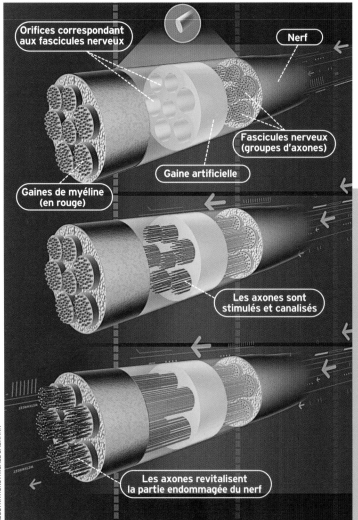

Orifices correspondant aux fascicules nerveux

Nerf

Fascicules nerveux (groupes d'axones)

Gaine artificielle

Gaines de myéline (en rouge)

Les axones sont stimulés et canalisés

Les axones revitalisent la partie endommagée du nerf

ILLUSTRATIONS : MICHEL SAEMANN

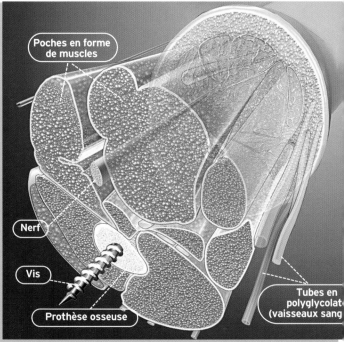

Poches en forme de muscles

Nerf

Vis

Prothèse osseuse

Tubes en polyglycolat (vaisseaux sang

## Reconnecter les nerfs

Grâce à une gaine artificielle tapissée de myéline, les axones de la partie vivante du nerf sont stimulés et orientés vers les gaines des axones détruits du bas de la jambe.

## Rééducation en 3D

Après l'intervention, dans un environnement virtuel 3D, Cédric imaginera qu'il marche, saute, court. Plusieurs fois par jour, il devra envoyer des ordres aux muscles de ses deux jambes, même s'il ne peut pas encore bouger. Ces stimulations nerveuses sont nécessaires à une bonne reconstruction des tissus musculaires, des tendons et des os. Elles orienteront les repousses nerveuses, chaque « câble » atteignant ainsi son muscle précis. Grâce à la simulation en 3D, le jeune homme visualisera comme dans un film ses mouvements imaginaires et percevra une « sensation » de mouvement en retour des ordres qu'il a donnés à la jambe, pourtant toujours immobile. Cette rééducation est aussi très importante pour éviter que le cerveau ne perde pas l'habitude de stimuler un côté, ne s'adapte surtout pas à la perte (provisoire) d'une jambe qu'il ne sent plus.

Ouf... cela fait maintenant plus de cinq heures qu'ils sont là, debout, autour du jeune homme qui s'est assoupi, groggy, après avoir ingurgité sa troisième toile. Il ne reste plus qu'à emballer le membre réparé dans un film biologique protecteur en attendant de pouvoir le recouvrir par une greffe de peau neuve. Les cellules sont en culture, mais il faudra encore trois semaines pour que le lambeau de peau soit suffisamment grand. Le biologiste est satisfait : depuis quelques années, grâce à des cultures multiples de cellules souches variées que l'on fait grandir ensemble, il réussit à cultiver non seulement un bel épiderme avec quelques poils, mais surtout une couche de derme pour soutenir l'ensemble par en dessous.

La chirurgienne sort du bloc et va tout de suite rassurer les parents de Cédric : « Dans un mois, il sortira de l'hôpital. Son plus gros problème sera d'être assez patient pour attendre que tous les tissus aient bien repoussé solidement. Mais dans moins d'un an, il remarchera normalement. » Devant les remerciements balbutiés par les parents, elle sourit : « La seule chose qu'on ne sait vraiment pas faire repousser, ce sont les motos cabossées. Mais je suppose que vous n'y tenez pas ? » ●

Remerciements au professeur Olivier Dizien du service de rééducation fonctionnelle de l'hôpital Raymond-Poincaré de Garches ; à Charles Bacquey, directeur de l'unité de recherches sur les biomatériaux et la réparation tissulaire à l'Inserm ; à Thierry Magnaldo, chargé de recherches au CNRS ; à Alain Privat, directeur du laboratoire développement, plasticité et vieillissement du système nerveux à l'Inserm ; et au professeur Philippe Ménasché, chirurgien cardiaque à l'hôpital Bichat à Paris.

**La rééducation : le patient visualise des mouvements en 3D et éprouve, en retour, les sensations correspondantes.**

## De la peau au mètre carré

Chacun d'entre nous a pu observer, lors d'un vulgaire bobo, la grande capacité de la peau à repousser. Depuis 1984, les médecins spécialistes des grands brûlés sont capables de tirer profit de cette propriété pour reconstituer 98 % de l'épiderme d'un homme (soit 1,70 m²) à partir de quelques centimètres carrés prélevés sur une zone indemne du brûlé. Le prélèvement doit contenir des cellules souches somatiques déjà programmées pour faire de la peau, mais encore capables de se renouveler et de donner une descendance qui en possède toutes les propriétés. Ces cellules sont mises en culture dans des bacs de laboratoire pour « retricoter » suffisamment de surface de peau qui sera greffée. « Pour l'instant, tempère Thierry Magnaldo, chargé de recherches au CNRS, on ne sait faire que de l'épiderme, c'est-à-dire la couche superficielle, et un équivalent simplifié du derme, situé juste en dessous. Il faudrait pouvoir aussi reconstituer les poils, les glandes qui régulent la transpiration et lubrifient notre épiderme, bref toutes les annexes d'une vraie peau. » Il est donc crucial d'apprendre à reconnaître ces différentes populations de cellules souches somatiques pour pouvoir les isoler et les faire se multiplier à volonté.

**Peau greffée**

# Télé

## Comment faire
## pour disparaître ici...

Vous en rêviez ?
Les scientifiques l'ont fait :
ils ont réussi à téléporter...
de la lumière.
Un premier pas vers le
voyage instantané ?
Détails de l'expérience...

Derrière la vitre de la cabine, le babouin lance un dernier regard angoissé à son maître. Mais Seth Brundle, tignasse ébouriffée, visage mal rasé, ne l'aperçoit déjà plus. Surexcité, il demande à l'ordinateur d'enclencher le processus. D'un coup, la cabine se remplit d'une lumière blanche aveuglante. Des éclairs crépitent à l'intérieur. Au même instant, une seconde cabine parfaitement identique, située à quelques mètres, se remplit de cette même lumière insoutenable. Puis soudain, l'obscurité. La voix nasillarde de l'ordinateur répète par trois fois « téléportation terminée ». La porte de la seconde cabine s'ouvre, laissant échapper une épaisse fumée blanchâtre. Seth, lentement, s'approche pour inspecter l'intérieur de la cabine. Il recule horrifié par l'infecte purée de chair et d'os, chaude et palpitante, qui jonche le sol de la cabine. Manifestement, la téléportation du babouin a échoué...

Cette scène vous rappelle quelque chose ? Certains d'entre vous l'ont vu et revu en boucle : elle est extraite du film d'horreur culte *La Mouche*. Visiblement, Seth Brundle, au début du film, tâtonne un peu dans ses expériences de téléportation. Il faut dire qu'il a tenu à travailler seul, loin de la communauté scientifique internationale, alors qu'un petit coup de main ne lui aurait pas fait de mal. Car de nombreux physiciens vous le diront : la téléportation, ça marche si l'on sait s'y prendre ! Depuis 1997, des expériences ont lieu en Autriche, en Italie, aux États-Unis, et sont entreprises en France. Et en juin 2002, des physiciens australiens ont réussi la manip à leur tour... Mais rassurez-vous, aucun régiment de babouins n'a été sacrifié pour la téléportation. Le transport de la matière vivante, ou inerte, n'est pas encore au programme des physiciens. Pour l'heure, seule la lumière a connu les vertiges de la téléportation.

# portation

## ...et réapparaître là ?

par Fabrice Nicot

**Dans le film *La Mouche*, la téléportation ne tente pas trop l'actrice Gena Davis. Sans doute parce qu'elle se souvient d'un malheureux babouin transformé en steak tartare, lors d'une première expérience ratée.**

Pourquoi la lumière ? En réalité, les chercheurs ont vite bouclé le casting du candidat idéal. Son portrait-robot est conditionné par la méthode de téléportation, assez différente de celle de Brundle. Aujourd'hui, les chercheurs ne transportent pas les objets en tant que tels, mais leur notice de montage. Et pour cela, ils commencent par désintégrer le voyageur. Une opération cruelle, mais indispensable pour accéder à son mode d'emploi. C'est un peu comme si vous démontiez toutes les pièces d'un moteur pour comprendre son fonctionnement. Ensuite, la notice est téléportée jusqu'au point d'arrivée. Là, l'objet est remonté à partir de la notice et des pièces détachées présentes sur place. Autant dire qu'il vaut mieux trouver pour l'expérience des individus relativement simples. C'est pourquoi les physiciens se sont tournés vers la lumière. Car elle est composée des petits gars les plus rustiques que l'on puisse trouver dans l'univers : les photons.

Ces billes de lumière peuvent, en effet, être décrites très simplement : deux caractéristiques suffisent. Comme elles ondulent à la manière d'une vague sur un étang, la fréquence de vibration est l'une de ces caractéristiques. La seconde est l'angle dit de « polarisation ». Pensez à un voilier voguant par grand vent : il penche. Autrement dit, sa voile fait un angle avec la surface de l'eau. En avançant penché, le voilier conserve cet angle. Il le transporte, en quelque sorte. Les photons sont un peu comme ces voiliers : ils avancent « penchés » et transportent cet angle qui fait partie de leur identité *(voir le schéma de l'expérience ci-contre)*. Ainsi, avec une vibration et un angle, vous savez presque tout d'un photon. Voilà un mode d'emploi apparemment très simple. Reste à le téléporter...

## Première étape : la désintégration

Histoire de simplifier encore les choses, les chercheurs ont décidé de ne transporter que l'angle de polarisation. A priori, cela ne paraît pas bien sorcier. Dans les faits, c'est un véritable exploit. Car si le photon est une particule rudimentaire, il n'en possède pas moins un fichu caractère ! D'abord, pour obtenir la copie, il est inévitable de détruire l'original : les lois de la physique l'exigent. Autre caprice : en aucun cas, il ne se laisse observer sous toutes les coutures. Sitôt que vous tentez de mesurer avec précision ses caractéristiques, elles changent ! Tout se passe comme si vous cherchiez à connaître la taille de votre petit frère et que, dès que la toise s'approche trop près de sa tête, il rapetisse d'un coup ! Vous reprenez votre mesure et il se met à grandir ! Sapristi ! Vous voyez bien qu'il a une certaine taille, mais elle vous échappe sans cesse... Pas question donc, de mesurer l'angle de polarisation des photons pour les transmettre à un autre faisceau de photons, comme il est prévu dans l'expérience. Comment, alors, faire passer cette info inaccessible mais indispensable pour réussir la téléportation ? Les physiciens contournent cette bizarrerie par une autre bizarrerie : les photons jumeaux.

C'est une des fantaisies les plus folles de la physique. Les chercheurs savent fabriquer des photons qui possèdent le même angle de polarisation et qui, quelle que soit la distance qui les sépare, semblent liés en permanence par un fil invisible. Aussi, dès que l'angle d'un photon est modifié, celui de son jumeau l'est instantanément ! C'est presque magique, d'autant que les physiciens donnent encore leur langue au chat pour expliquer ce prodige.

Imaginez ainsi deux photons jumeaux. L'un file droit vers le photon X à téléporter *(voir schéma de l'expérience ci-contre)*. En heurtant X, son angle de polarisation est quelque peu chamboulé. Il est impossible de mesurer cet angle, pas plus que celui de X. En revanche, les chercheurs peuvent détecter la relation existant entre les angles, même si cette mesure détruit X. Quatre relations sont possibles. Les angles peuvent être identiques, perpendiculaires ou bien dans deux configurations plus complexes.

Mais revenons à l'autre photon jumeau, celui qui n'a pas rencontré X. C'est lui qui va servir de base pour reconstituer le faisceau X en sortie. Il possède à tout moment le même angle de polarisation que son frère. Ce qui signifie que si l'angle de son frère est identique à celui de X, le sien est aussi identique à celui de X. Ou bien, si les angles de son frère et de X sont perpendiculaires, il suffit de faire tourner le sien de 90°, grâce à un filtre (une sorte de verre teinté), pour le transformer en X. Bilan de l'opération : le faisceau X à téléporter est détruit à l'instant même où le faisceau laser en sortie devient X. « Téléportation terminée ! » comme dirait l'ordinateur de Brundle.

**Les physiciens Ping Koy Lam et Warwick Bowen ont réussi à leur tour la téléportation d'un photon, en juin dernier, à l'université de Canberra (Australie).**

# Téléportation mode d'emploi

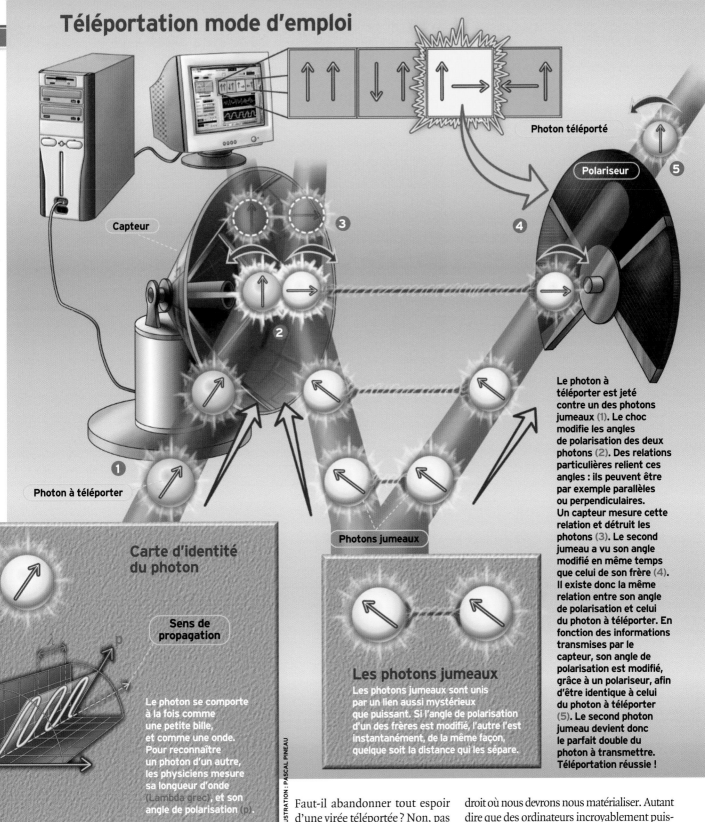

Photon téléporté

**5**

**Polariseur**

**4**

**Capteur**

**3**

**2**

**1**

Photon à téléporter

Photons jumeaux

## Carte d'identité du photon

**Sens de propagation**

Le photon se comporte à la fois comme une petite bille, et comme une onde. Pour reconnaître un photon d'un autre, les physiciens mesure sa longueur d'onde (Lambda grec), et son angle de polarisation (p).

## Les photons jumeaux

Les photons jumeaux sont unis par un lien aussi mystérieux que puissant. Si l'angle de polarisation d'un des frères est modifié, l'autre l'est instantanément, de la même façon, quelque soit la distance qui les sépare.

Le photon à téléporter est jeté contre un des photons jumeaux (1). Le choc modifie les angles de polarisation des deux photons (2). Des relations particulières relient ces angles : ils peuvent être par exemple parallèles ou perpendiculaires. Un capteur mesure cette relation et détruit les photons (3). Le second jumeau a vu son angle modifié en même temps que celui de son frère (4). Il existe donc la même relation entre son angle de polarisation et celui du photon à téléporter. En fonction des informations transmises par le capteur, son angle de polarisation est modifié, grâce à un polariseur, afin d'être identique à celui du photon à téléporter (5). Le second photon jumeau devient donc le parfait double du photon à transmettre. Téléportation réussie !

ILLUSTRATION : PASCAL PINEAU

## À quand le voyage instantané ?

En fait, la téléportation d'un angle est déjà une routine. Aujourd'hui, les physiciens cherchent à transmettre des informations plus sophistiquées. Ainsi, lors des dernières expériences en date, menées en Amérique et en Australie, ce sont des variations dans les amplitudes de vibration des photons qui voyagent. De mieux en mieux... Mais il s'agit encore de lumière. À quand la téléportation de matière ?

Faut-il abandonner tout espoir d'une virée téléportée ? Non, pas tout à fait. Aujourd'hui, les physiciens commencent à envisager de téléporter un atome, ce qui serait un premier pas, timide mais encourageant, vers le transport de matière. Mais comme pour les photons, il s'agit de transporter des informations. L'atome ne voyage pas au sens strict. Ses propriétés sont transférées à un atome receveur. Pour nous téléporter par cette méthode, il faudrait donc amener toutes les informations contenues dans nos atomes (évaluées à 100 000 000 000 000 000 000 000 000 000 000 00 ($10^{32}$) données...) à un tas d'atomes présents à l'en-

droit où nous devrons nous matérialiser. Autant dire que des ordinateurs incroyablement puissants, encore inimaginables, sont nécessaires pour réaliser le transfert. Ou bien il faudrait trouver un moyen de compresser les infos pour en diminuer le nombre. Car si l'ordinateur oublie le mode d'emploi de nos cellules en cours de route, gare à l'atterrissage ! Parole de babouin. ●

Remerciements à Philippe Grangier, de l'Institut d'optique du CNRS à Orsay.
À voir : *La Mouche*, de David Cronenberg (1986).

# AU RAS DES FLOTS, LE

**Le plus gros avion jamais construit... et le plus rapide des cargos : tel est le « Pélican » imaginé par les ingénieurs de Boeing. Ce monstre hybride, mi-avion mi-aéroglisseur, pourrait bouleverser le monde du transport militaire comme celui des marchandises.**

PAR PIERRE LEFÈVRE. ILLUSTRATIONS : LAURENT HINDRYCKX/MISS MULTIMEDIA

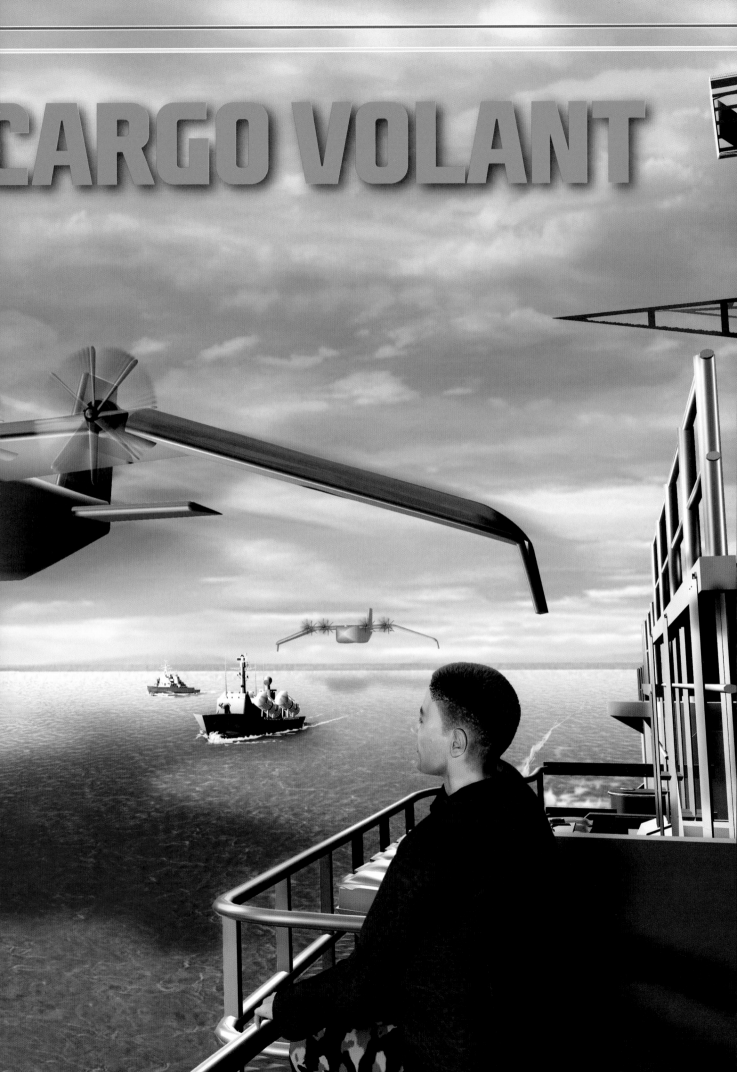

Un incroyable monstre des mers vient de surgir des cerveaux des ingénieurs américains de Boeing. Nommé « Pélican », il est au transport ce que l'ornithorynque est au règne animal : une bête hybride. Mi-avion mi-aéroglisseur, il volera sur un coussin d'air à 6 m seulement au-dessus des flots. Ses dimensions impressionnantes relégueront les plus gros aéronefs au rang de nains des airs (*voir dessins ci-contre*). La créature affiche en effet des mensurations gigantesques qu'aucun avionneur n'a jamais osé rêver. Long de 200 m, le drôle de volatile déploie des ailes d'une envergure de 150 m et peut emporter 1 400 t de cargaison ! Le plus gros avion-cargo existant, l'Antonov 225, supportera mal la comparaison. Avec des dimensions deux fois plus petites, il peut tout juste soulever 300 t, cinq fois moins que l'avion américain. Mais le monstre pourrait surtout rivaliser avec les plus gros paquebots, qui apparaîtraient alors comme de poussifs escargots : l'animal de Boeing file à 600 km/h, dix à quinze fois plus vite qu'un navire cargo.

La bête infernale n'est, en réalité, pas du pur jus de cerveau yankee. Les grands-parents du Pélican, qui répondent au nom générique russe d'ékranoplanes, sont nés dans l'ancienne Union soviétique (ex-URSS) il y a une cinquantaine d'années. Russes et Américains s'entendent alors à peu près aussi cordialement que deux pitbulls face à face. C'est la Guerre froide. Les deux pays font la course à l'armement et tout projet qui pourrait donner une avancée stratégique

sur le concurrent reçoit le soutien des militaires.

Au-delà de ce que l'on appelait alors le rideau de fer (la frontière avec l'URSS), l'ingénieur Rotislav Alekseev s'échine au début des années 50 sur un projet révolutionnaire : un bateau capable de s'envoler. Le chef d'État d'alors, Khrouchtchev, lui donne un budget illimité. Rotislav Alekseev ne se lance pas dans de savants calculs pour dessiner son appareil. Sa méthode est empirique. Frustre, mais efficace, elle consiste à réaliser des centaines de modèles réduits d'environ 1 m de long en… papier mâché ! Il lance ses maquettes sur un toboggan pour observer les talents aériens de ses oisillons. Et que le meilleur gagne !

## LE « MONSTRE DE LA CASPIENNE »

La forme de l'engin choisie, les Russes s'attellent à la construction des premiers prototypes sans moteur, traînés par des bateaux. Enfin, le premier ékranoplane voit le jour en 1966. Les services secrets américains, qui scrutent depuis l'espace la moindre parcelle du sol soviétique, découvrent un jour un avion énorme qui fonce au-dessus des eaux, qu'ils surnomment le « Monstre de la Caspienne ». Son fuselage mesure la bagatelle de 100 m de long. Et le rejeton de l'empire soviétique pèse bon poids : 550 t. Le pachyderme volant qui fait trempette dans l'eau doit mettre en route ses 10 puissants moteurs pour s'arracher des flots et décoller d'au moins 30 cm sans jamais toutefois dépasser… 3 m. Grâce à sa taille imposante, il peut faire face à des vagues de 5 m sans broncher.

Prototype unique, le Monstre est un formidable laboratoire grandeur nature pour améliorer le vol sur coussin d'air des ékranoplanes (*voir encadré p. 30*). Il accomplira sa tâche sans faillir jusqu'en 1980, année

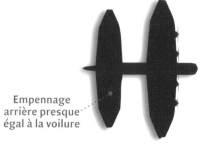

Pélican          Boeing 737

Empennage arrière presque égal à la voilure

Empennage avant « en canard »

Bien qu'il soit cinq fois plus long qu'un Boeing 737, le Pélican conçu par Boeing a la même forme qu'un avion classique. Mais selon certains ingénieurs en aéronautique, il aurait du mal à décoller. Il lui faudrait pour cela un empennage horizontal d'une taille presque équivalente à celle de la voilure ; ou une configuration « en canard » avec un empennage avant horizontal plus court.

où il s'écrase en mer. Lors de son dernier vol, l'appareil glisse comme à son habitude à 3 m au-dessus des flots quand une violente rafale de vent le déstabilise, semble-t-il. En vieux routier aéronautique, le pilote met alors les gaz pour redresser l'ékranoplane, qui se relève aussitôt dans les airs

Transport de véhicules militaires

S'il voit le jour, le Pélican sera le seul avion capable de transporter jusqu'à 15 000 hommes en cinq jours ou 17 chars Abrams M1 de 60 t chacun en une seule sortie !

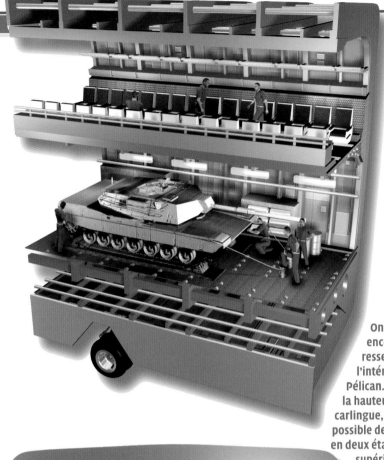

On ne sait pas encore à quoi ressemblera l'intérieur du Pélican. Mais vu la hauteur de la carlingue, il serait possible de la diviser en deux étages, le pont supérieur logerait les troupes ; la soute, en dessous, accueillerait les véhicules militaires.

comme un avion classique. Erreur fatale ! Le Monstre de la Caspienne est dessiné pour voler près des flots. En cas de problème, la consigne est de descendre, surtout pas de monter. Au pire, l'avion se pose. En revanche, quand il s'élève trop haut, il réagit mal et se cabre à la moindre pichenette de vent. Résultat de la manœuvre : l'ékranoplane se redresse complètement, décroche et part en vrille, pour finir sa chute dans les profondeurs de la Caspienne.

Bien avant sa fin tragique, le bel oiseau a eu une descendance dont les trois principaux rejetons portent les noms d'Orlyonok (mot russe pour « le Petit Aigle »), de Lun (« la Colombe ») et de Spasatel (« le Sauveur »). Partant et revenant toujours les pieds dans l'eau, les petits sont cependant nettement moins monstrueux que leur papa en ce qui concerne leur taille. Le premier, l'Orlyonok, voit le jour au début des années 70. Il ne mesure pas plus de 58 m de long. Contrairement au Monstre, il s'illustre surtout par sa capacité à déjouer la gravité. Grâce au dessin plus fin de sa voilure, l'appareil peut flirter avec les 3 000 m. De quoi prendre de la hauteur et s'affranchir si besoin des flots pour avancer. Il est destiné à trimbaler les engins militaires pour des missions d'assaut. Quatre exemplaires voleront. Le second descendant du Monstre, le Lun, né au début des années 80, affiche tout de même 74 m de long. C'est un véritable tueur. La vocation de la Colombe : lancer des missiles nucléaires... Ce sera le seul de son espèce en raison des restrictions sévères de budget que subit l'armée soviétique. Le gouvernement de l'URSS décide enfin en 1989 de construire le Spasatel à la suite de l'accident du sous-marin nucléaire Komsomolets dans lequel périrent 42 marins. Capable de se poser dans des vagues de 9 m, il doit pouvoir transporter jusqu'à 500 personnes et servir d'hôpital volant. Sa construction ne sera jamais terminée :

Train d'atterrissage composé de 72 roues sous les ailes et 4 roues à l'avant

Réfectoire

Couchettes et banquettes pour le confort des troupes : le Pélican pourrait voler pendant une vingtaine d'heures.

Poste de pilotage

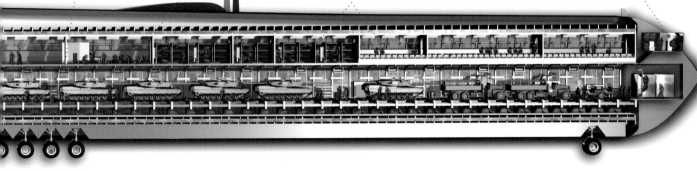

# L'effet de sol ou pourquoi raser l'eau?

### Pourquoi un avion vole-t-il?

On croit souvent qu'un avion classique ne tombe pas parce qu'il s'appuie sur l'air. Faux. En réalité, mieux vaudrait dire qu'il est aspiré vers le haut. Lorsque l'appareil vole, l'air rencontre l'aile et la contourne. En raison de sa forme, il passe plus vite au-dessus qu'en dessous. Tout se passe donc comme s'il y avait beaucoup moins d'air au-dessus de l'aile qu'en dessous, ce qui crée une différence de pression importante. La pression au-dessus étant plus faible, l'avion se trouve alors comme aspiré vers le haut par une force bien mal nommée : la portance.

### Comment former un coussin d'air sous un avion?

Si l'avion vole au ras du sol ou de l'eau, l'air qui passe sous l'aile n'a plus l'espace immense qu'il avait en altitude pour s'échapper à l'arrière. Il se forme alors une sorte de goulet d'étranglement entre la voilure et le sol. L'air se trouve donc très ralenti, et s'accumule sous l'avant de l'aile formant une sorte de coussin sur lequel l'avion va s'appuyer comme le fait un aéroglisseur. Mais dans le cas de l'aéroglisseur, ce coussin provient d'énormes turbines qui soufflent de l'air sous la jupe de l'engin. Alors que l'avion forme lui-même ce coussin en avançant. C'est ce que l'on appelle l'«effet de sol». L'avion est alors non seulement soulevé vers le haut, mais également soutenu par ce coussin. Résultat : la portance s'accroît.

### Comment dessiner un ékranoplane?

Tous les avions peuvent voler au ras de l'eau ou de la terre en bénéficiant de l'effet de sol, mais le coussin d'air sera plus ou moins important selon la géométrie des ailes. Dans le cas des ékranoplanes, celles-ci sont larges, formant presque un carré. Elles offrent ainsi plus de surface pour s'appuyer sur le coussin d'air. En outre, la forme cassée des ailes accentue le phénomène d'effet de sol en canalisant l'air sous l'avion. Inconvénient de ces ailes trapues : les tourbillons d'air qui se forment en bout d'aile sont beaucoup plus importants. Or ceux-ci freinent énormément l'appareil. Heureusement, près de l'eau, l'avantage de l'effet de sol l'emporte sur l'augmentation des tourbillons. Et globalement l'avion consomme moins de carburant. En hauteur, rien de tel. L'effet de sol a disparu. Et les gros tourbillons sont comme autant de casseroles accrochées à la queue de l'appareil qui entravent son avancée. Il lui faut alors fournir beaucoup plus d'effort et donc consommer plus de carburant pour avancer qu'un avion classique. Compromis entre un ékranoplane qui ne peut voler très haut et un avion classique, le Pélican a des ailes plus fines qui permettent de limiter l'importance des tourbillons en vol.

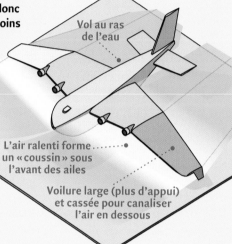

Vol au ras de l'eau

L'air ralenti forme un «coussin» sous l'avant des ailes

Voilure large (plus d'appui) et cassée pour canaliser l'air en dessous

l'empire soviétique agonise et les crédits manquent pour le mettre au point. Tous les ékranoplanes rouillent aujourd'hui à l'abandon dans les bases navales russes. À l'exception du petit dernier : le Spasatel. Rangée au fond d'un hangar, sa vieille carcasse est toujours bichonnée par quelques passionnés qui rêvent encore pour lui d'un grand destin.

## PORTÉ PAR UN COUSSIN D'AIR

Le concept d'ékranoplane a lui, en tout cas, de beaux jours à venir puisque Boeing a décidé de poursuivre cette épopée nautico-aérienne avec le Pélican. Le projet répond à une étude lancée par l'US Army. Il s'agit de définir les nouveaux appareils pour déployer l'infanterie et les blindés américains dans les zones de conflits. Rotislav Alekseev serait-il fier de cet hommage tardif d'outre-Atlantique? Du moins, ne renierait-il pas le principe de vol du Pélican, le même que celui des ékranoplanes. L'avion se déplacera au-dessus des flots en utilisant l'effet de sol (voir encadré ci-contre) : il s'appuiera sur un coussin d'air généré par son propre mouvement. Ainsi, il foncera au-dessus de l'eau en consommant nettement moins de carburant qu'un avion classique. Cela se traduira de façon sonnante et trébuchante par un coût d'utilisation moindre. «C'est ce qui le rendra particulièrement attrayant à tous ceux qui ont besoin de transporter vite, dans le monde entier, des charges importantes», souligne Blaine Rawdon, le responsable de ce programme chez Phantom Works, la division de recherche de Boeing.

Si le projet voit le jour, ce sera d'abord dans sa version militaire ; le Pentagone décidera en avril 2003 s'il le finance ou pas. L'objectif est de pouvoir effectuer des navettes au-dessus de l'océan pour apporter les hommes et le matériel nécessaires dans les pays où ils interviennent militairement. «Le Pélican sera le seul avion à pouvoir transporter en une seule fois 17 chars d'assaut Abrams M1 sur une distance de 18 500 km !» renchérit Blaine Rawdon. Pas de danger non plus qu'il s'écrase contre les premières falaises venues une fois la traversée effectuée : le Pélican peut aussi se muer en un véritable avion-cargo capable de voler à 6 000 m, se jouant ainsi des reliefs. Mais il ne bénéficie plus alors de l'effet de sol, et les tourbillons qu'il crée dans l'air — comme un bateau laisse un sillage derrière lui — le freinent alors fortement. Le

PHOTOS : A. BELYAEV

Pas moins de 10 turboréacteurs, 8 sur le nez et 2 sur l'empennage arrière, étaient nécessaires pour arracher le Monstre de la Caspienne aux flots et le faire glisser sur son coussin d'air à moins de 3 m d'altitude.

Ils devaient être 120 prêts à lancer troupes et véhicules d'assaut sur l'ennemi. Seuls 4 Orlyonok virent le jour ; ces avions russes effectuèrent leur dernier vol en 1993.

Pélican consomme dans ces conditions plus de carburant qu'un avion classique. Heureusement, il sera conçu pour être stable en vol à haute altitude et ne pas subir le triste sort du Monstre de la Caspienne. Il est le résultat d'un subtil compromis pour raser les flots tout en étant capable de goûter l'ivresse des sommets aériens.

## UN OISEAU MARIN QUI CRAINT L'EAU !

S'il peut jouer aux oiseaux, il se montre toutefois un piètre nageur, contrairement aux ékranoplanes russes qui, eux, décollent sur l'eau. Le Pélican doit, lui, soulever sa carcasse depuis le plancher des vaches et y revenir pour y atterrir. Il faut, pour réaliser cette prouesse, répartir la masse du mastodonte sur pas moins de 76 roues. Un choix pratique pour atterrir en Afghanistan ou au cœur de l'Irak en partant d'une base américaine, mais plutôt étrange quand il s'agira de convertir le Pélican en avion civil. « Je ne comprends pas bien le parti pris de Boeing, explique Stéphan Aubin, de l'École nationale supérieure d'aéronautique (SupAéro). Il aurait sans doute été plus facile, et moins coûteux à l'usage, de permettre au Pélican de rejoindre un grand port comme celui de Brest ou de Tunis, au lieu de devoir atterrir sur des pistes qui devront être adaptées à la taille et au poids de l'appareil. » Autant d'infrastructures onéreuses qui se répercuteront sur le coût d'utilisation de l'engin. « À titre indicatif, 80 % du prix d'un billet d'avion classique est destiné à couvrir les coûts aéroportuaires. En outre, le pire est à craindre si, d'aventure, le bel avion venait à tomber en panne au milieu de l'océan. » Sans doute Boeing garde-t-il quelques astuces techniques secrètes pour pallier cet inconvénient.

À quel usage civil sera destiné le Pélican ? Pas question d'en faire un paquebot aérien de croisière transatlantique. Il n'offrira ni le charme des ponts luxueux de ses comparses maritimes, ni la vitesse de son plus proche cousin purement aérien, l'Antonov 225. Le Pélican sera sans doute utilisé comme un gros cargo rapide pour du transport de marchandises. Au lieu d'être cueillies vertes et de mûrir pendant le trajet en bateau, les bananes, par exemple, pourraient être chargées mûres et arriver rapidement en Europe sans risquer de pourrir. Mais, pour assurer des liaisons régulières, l'avion devra sûrement se cantonner à des eaux relativement calmes comme la Méditerranée ou l'océan Indien. Ailleurs, les grosses tempêtes obligeraient l'appareil à voler souvent haut, perdant ainsi le bénéfice de l'effet de sol. ●

**POUR EN SAVOIR PLUS**
**Tout sur un petit ékranoplane australien (en anglais) :**
**www.flightship.net**
**Le site le plus complet sur les avions à effet de sol, bourré de photos (en anglais) :**
**www.se-technology.com/wig**

# ROUTE POUR LA L'UNIVERS !

**Les cosmologistes en sont quasi sûrs : notre Univers n'est pas éternel. Ressemblera-t-il à une baudruche qui enfle, qui enfle, jusqu'à extinction totale des feux ? Ou finira-t-il en tête d'épingle après s'être ratatiné comme une vieille pomme ? Pour vous faire une idée, embarquez donc dans notre vaisseau spatio-temporel dernier cri. Bon voyage...**

PAR FABRICE NICOT. ILLUSTRATIONS : LIONEL BRET

**L**orsque le chef m'a proposé cette mission, j'ai senti que ce serait le voyage de trop, même pour un vieux baroudeur de l'Univers comme moi. Vous allez comprendre pourquoi. Je me souviens encore de la lettre que le patron avait reçue. Une jolie bafouille écrite par des cosmologistes, ces savants qui étudient l'Univers...

« Observatoire de Paris, 18 juin 2040. À monsieur le chef des missions spatio-temporelles. Vous possédez à notre connaissance une flotte de vaisseaux spatiaux flambant neufs capables de se déplacer dans le temps. Nous souhaiterions utiliser cette propriété pour une expérience fondamentale dont l'objectif est aussi simple qu'ambitieux : assister à la fin de l'Univers ! Pour cela, le pilote n'aura qu'à enclencher le levier "déplacement temporel" dans la direction "futur", et le laisser dans cette position aussi longtemps que possible... »

Cela paraissait simple. Mais avant d'accepter la mission, je décidai de rendre visite à ces cosmologistes. Le voyage qu'ils me proposaient me semblait bien long. Jusqu'à présent, j'avais imaginé que l'Univers était éternel ! « Mais pas du tout cher monsieur ! me rétorqua le premier cosmologiste que je rencontrai à l'Observatoire de Paris. Nous sommes convaincus que l'Univers va droit dans le mur ! Nous avons même une petite idée de la façon dont le cataclysme se produira. En fait, nous hésitons entre deux scénarios.

« Pour comprendre, imaginez que l'Univers se comporte comme un élastique. Si vous tirez sur ses extrémités, il se tend. Mais une force de rappel s'oppose à sa dilatation. C'est pareil pour notre Univers. Depuis sa naissance, lors du big bang, il est en expansion, comme l'élastique, sous l'effet d'une force dont nous ignorons tout. Mais la force gravitationnelle s'oppose à cette expansion. Tous les corps dans l'Univers — vous, moi, le Soleil, l'ensemble des étoiles — subissent cette force qui tend à nous rapprocher. Le destin de l'Univers dépend de la gravitation. Si l'expansion l'emporte sur la gravité, l'Univers se dilatera à l'infini. C'est notre premier scénario.

« Si la gravité l'emporte, l'Univers, au contraire, se recontractera : voilà le second scénario. Grâce à vous, nous pourrons enfin trancher, en allant voir ! Mais pour vous aider à prendre votre décision, nous vous proposons de faire le voyage dans notre simulateur. Cela vous donnera une petite idée de ce qui vous attend dans les deux cas. »

Je les suivis jusque dans une grande salle, puis je m'assis face à l'écran du simulateur. Mon voyage virtuel allait commencer. Je ne me doutais pas encore que je reviendrais écœuré à jamais de toute aventure cosmique...

# ASTROPHYSIQUE

PORTION D'UNIVERS
AUTOUR DU VAISSEAU

VOIE LACTÉE

VOLUME CONSTANT
SERVANT
DE RÉFÉRENCE

GALAXIE
EN FUITE

T=10 000 000 000

## 1. T = 4,5 MILLIARDS D'ANNÉES
### DERNIER COUCHER DE SOLEIL

Ça commence bien ! Je contemple notre beau Soleil lorsque, d'un coup, je le vois devenir tout rouge !
Il gonfle démesurément jusqu'à engloutir Mercure et Vénus… Sa chaleur augmente et il grille
littéralement notre pauvre planète, avant de l'avaler ! Puis il explose en projetant des tonnes de gaz.
Je suis sacrément secoué dans le simulateur. Les cosmologistes me consolent gentiment
dans le casque : « Désolés pour cet épisode désagréable. Mais la mort du Soleil est inéluctable
lorsqu'il sera à court d'hydrogène. Et cela quel que soit le sort de l'Univers… »

## 2. ENVIRON 10 MILLIARDS D'ANNÉES
## LES AMAS S'ÉLOIGNENT LES UNS
## DES AUTRES

Je prends très vite de la vitesse et de la distance.
Je m'éloigne de notre système solaire moribond,
puis je sors carrément de la Voie lactée, notre galaxie,
qui contient toutes les étoiles que nous contemplons
depuis la Terre. Je m'aperçois alors que la Voie lactée
fait partie d'un amas de galaxies. Et l'Univers
m'apparaît comme constellé de ces amas,
qui s'éloignent tous les uns des autres. Au sein
même des amas, les galaxies semblent se fuir.
Les distances s'étirent sans cesse !

# UNE ÉTERNITÉ À SE DILATER

J'étais à peine installé dans le fauteuil du
simulateur qu'une voix stridente jaillit
d'un haut-parleur : « Dans un premier
temps, vous allez partir pour un long voyage virtuel dans un Univers en expansion infinie. Nous
pensons que ce modèle est proche de l'Univers
réel. En effet, nos estimations indiquent que
nous vivons dans un Univers très dilué, il n'y
aurait même pas la masse d'un atome d'hydrogène par mètre cube dans l'espace ! Or, le combat entre gravité et expansion est précisément
arbitré par la densité de l'Univers : sa masse
divisée par son volume. Nous estimons que si
1 m³ de l'espace pèse moins lourd que 3 atomes
d'hydrogène, l'attraction gravitationnelle sera
vaincue par l'expansion.

« Puisque l'Univers semble si peu dense,
pourquoi hésitons-nous encore entre les deux
scénarios ? Parce que nous nous méfions de
ces évaluations ! Il est tout simplement impossible de "peser" précisément l'Univers. Pour
cela, il faudrait être sûr de le voir en entier. Or
nous ne percevons que les objets qui émettent
de la lumière, alors que l'Univers est constellé
de "matière noire" : vieilles étoiles éteintes,
trous noirs, gigantesques nuages de gaz…
Autant d'objets dont on ne peut pas systé-

matiquement détecter l'existence et a for-
tiori connaître leur masse exacte.

« Ce qui nous rend encore plus perplexes,
c'est qu'un Univers en expansion perpétuelle
pose un problème fondamental : en physique,
un volume infini, cela n'a tout simplement
pas de sens ! Certains de nos collègues pensent qu'en réalité, dans quelques dizaines de
milliards d'années, l'expansion ralentira très
lentement jusqu'à devenir nulle. L'Univers
aura ainsi une limite. Mais pour que l'expansion cesse, il faudrait que la densité soit très
exactement égale à 3 atomes d'hydrogène par
mètre cube. Apparemment, notre Univers est
plus dilué, mais nos collègues affirment que
nous sous-estimons cette densité, qui s'appro-
cherait en réalité des 3 atomes fatidiques par
mètre cube. Que cela tombe pile sur ce chiffre,
ce serait tout de même une coïncidence extraordinaire ! Quoi qu'il en soit, préparez-vous :
vous allez vous faire une petite idée de ce qui
vous attend peut-être… »

Les commandes du simulateur ressemblent
à celle de mon vaisseau. J'ai mis plein gaz vers
le futur : le voyage doit durer au moins plusieurs dizaines de milliards d'années, cela risque d'être long même en accéléré !

## 6. PLUSIEURS CENTAINES
## DE MILLIARDS D'ANNÉES
## LE NOIR ABSOLU

L'écran est devenu totalement noir.
La simulation cesse et j'en sors
complètement déprimé !
Les cosmologistes reprennent
la parole. « Voilà, l'Univers
en expansion est devenu un cimetière
infini d'étoiles. Mais si vous faites

L'UNIVERS POURSUIT
SON INFLATION

T=999 999 999 999

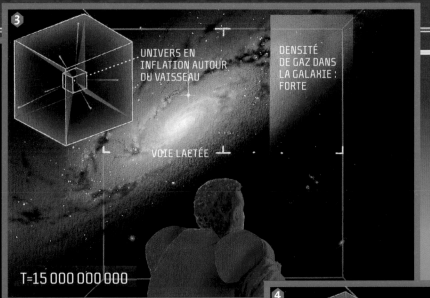

GALAXIE
EN FUITE

UNIVERS EN
INFLATION AUTOUR
DU VAISSEAU

DENSITÉ
DE GAZ DANS
LA GALAXIE :
FORTE

VOIE LACTÉE

T=15 000 000 000

## 4. ENVIRON 30 MILLIARDS D'ANNÉES
## LA VOIE LACTÉE SE MEURT

La lumière baisse dans l'habitacle. En fait, c'est toute notre Voie lactée qui devient pâlotte. L'hydrogène à partir duquel les étoiles se formaient commence à manquer. Elles s'éteignent les unes après les autres et aucune naissance ne vient plus contrer l'avancée de l'obscurité. C'est lugubre. Je décide de mettre plein gaz vers d'autres galaxies, plus jeunes.

## 3. ENVIRON 15 MILLIARDS D'ANNÉES
## NOTRE GALAXIE EST DE PLUS EN PLUS ISOLÉE

Hé ! En quelques milliards d'années, toutes les galaxies se sont éloignées de moi à vitesse grand V. Je remets le cap sur notre bonne vieille Voie lactée, qui se trouve maintenant bien isolée dans son amas distendu.
Je vois la vie des étoiles en accéléré. Elles naissent dans les nuages de gaz (rendus visibles par mon ordinateur) qui se condensent. Les plus grosses brûlent en quelques secondes (en fait quelques millions d'années, mais je me déplace très vite dans le temps) puis explosent dans une lumière intense. De vrais phares appelés « supernovae ». Les petites étoiles durent plus longtemps car elles consomment moins vite leur hydrogène. Nombre d'entre elles finissent comme notre Soleil, en géante rouge.

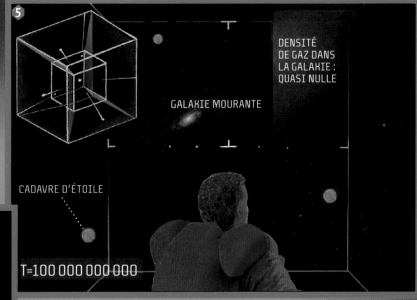

VOIE LACTÉE

DENSITÉ
DE GAZ DANS
LA GALAXIE :
MOYENNE

T=30 000 000 000

le voyage, vous aurez des surprises. Par exemple, des cosmologistes pensent que lorsque l'Univers sera plus froid que les trous noirs (-270°C), ces derniers se mettront à le réchauffer faiblement. Pour cela, leur matière se changera en énergie. Et les trous noirs s'évaporeront petit à petit. Vous voyez, vous aurez sans doute bien des choses à nous raconter… »

DENSITÉ
DE GAZ DANS
LA GALAXIE :
QUASI NULLE

GALAXIE MOURANTE

CADAVRE D'ÉTOILE

T=100 000 000 000

## 5. UNE CENTAINE DE MILLIARDS D'ANNÉES[1]
## LES GALAXIES S'ÉTEIGNENT LES UNES APRÈS LES AUTRES

Horreur ! Partout dans l'Univers, les galaxies s'éteignent car les étoiles qui les composent se meurent. Les plus gros soleils, après avoir explosé en supernovae, sont devenus des trous noirs, de véritables concentrés d'étoiles ultra-denses qui avalent tout ce qui passe à leur portée, même la lumière, d'où leur nom ! D'autres ont formé des étoiles à neutrons sans lumière, petites billes supermassives de quelques dizaines de kilomètres de diamètre. Les étoiles plus petites ont donné naissance à des myriades de naines blanches, de taille comparable à la Terre, en train de refroidir lentement. Elles deviendront des naines noires, de pauvres résidus d'étoiles définitivement froids.
1. Chiffre à prendre avec des pincettes : les cosmologistes sont loin d'être d'accord sur l'espérance de vie des galaxies. Tout dépend de leur réserve de gaz utilisé pour fabriquer les étoiles.

N DU VOYAGE !

# UNE FIN EN PEAU DE CHAGRIN

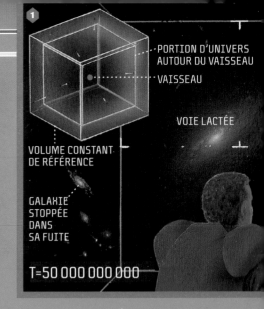

PORTION D'UNIVERS AUTOUR DU VAISSEAU

VAISSEAU

VOIE LACTÉE

VOLUME CONSTANT DE RÉFÉRENCE

GALAXIE STOPPÉE DANS SA FUITE

T=50 000 000 000

Après quelques minutes de repos, les cosmologistes m'ont proposé d'explorer le second scénario : la contraction de l'univers. Après ce que je venais de voir, je n'étais plus très chaud mais bon ! Ils m'avaient promis que ce voyage n'aurait rien à voir avec le précédent. « Beaucoup plus animé ! m'ont-ils dit. Nous allons paramétrer le simulateur de telle sorte que vous visitiez maintenant un univers dense, c'est-à-dire contenant plus de trois atomes d'hydrogène par mètre cube. Ajouter de la matière dans l'univers, cela revient à renforcer la gravitation. Ainsi, les forces de gravitation engendrées par cette matière vont freiner peu à peu l'expansion de l'univers, jusqu'à la faire cesser totalement. Au moment précis où l'expansion s'arrêtera, l'univers aura atteint sa taille maximale. Ensuite, il se contractera, d'abord lentement, puis de plus en plus rapidement au fur et à mesure que tous les corps errants dans l'univers se rapprocheront les uns des autres. » Mais, leur demandai-je, jusqu'à quel point l'univers va-t-il se contracter ? « Le mieux, c'est d'aller voir par vous-même. Un seul conseil : attachez votre ceinture et mettez vos lunettes de soleil. »

## 1. D'AUJOURD'HUI À 50 MILLIARDS D'ANNÉES[2]
### L'UNIVERS ENFLE
Cette première partie du voyage ressemble bigrement à la première. Les galaxies s'éloignent les unes des autres mais moins vite que la dernière fois. Vers 50 milliards d'années environ, cette fuite cesse. « Vous assistez à un moment magique ! m'expliquent les cosmologistes. La gravité l'a emporté sur l'expansion de l'Univers qui cesse peu à peu. L'Univers ne grandit plus, et vous pouvez enfin le contempler dans sa totalité. »
2. Là encore, il s'agit d'un chiffre indicatif. Il provient d'un modèle de contraction parmi d'autres.

FIN DU VOYAGE !

T=99 010 000 001

## 5. 99 MILLIARDS ET QUELQUES MILLIONS D'ANNÉES
### FEU D'ARTIFICE GÉANT
J'ai ralenti ma progression dans le temps car tout va très vite maintenant. En quelques millions d'années, les étoiles se trouvent si proches les unes des autres qu'elles se heurtent, se disloquent et disparaissent dans des explosions infernales. Je suis sacrément secoué ! Bientôt, il ne reste plus des étoiles que les molécules qui les constituaient, mêlées à des grains de lumière éblouissants : les photons.

## 6. LE « BIG CRUNCH »
### L'UNIVERS DISPARAÎT DANS UNE TÊTE D'ÉPINGLE
Je navigue désormais dans un espace très réduit au milieu d'une soupe de molécules. La contraction continue et les molécules elles-mêmes se brisent en atomes. La lumière, portée par les photons, devient extrêmement intense. La température bondit : 10 000 °C, 100 000 °C... Je nage dans une bouillie d'électrons, de protons et de neutrons qui formaient les atomes. Ouf ! la simulation s'arrête brutalement, me laissant tout ébloui.

COLLISION D'ÉTOILES

T=99 010 000 000

GALAXIE
STOPPÉE
DANS
SA FUITE

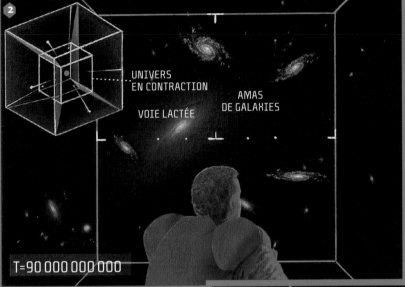

2

UNIVERS
EN CONTRACTION

VOIE LACTÉE

AMAS
DE GALAXIES

T=90 000 000 000

### 3. VERS 98 MILLIARDS D'ANNÉES COLLISION DE GALAXIES

Les galaxies du superamas entrent en collision. Comme il existe encore d'immenses espaces entre les étoiles qui les composent, ces collisions ne sont pas très spectaculaires. Les galaxies semblent se fondre les unes dans les autres. Comme tout l'Univers rétrécit, je suis moi-même entraîné dans ce mouvement et j'ai l'impression que les galaxies me tombent dessus !

### 2. DE 50 À 90 MILLIARDS D'ANNÉES L'UNIVERS SE RECONTRACTE

C'est rigolo ! J'ai l'impression que le film se met à défiler à l'envers. Les amas de galaxies se rapprochent les uns des autres pour ne plus former qu'un superamas qui occupe tout l'Univers.

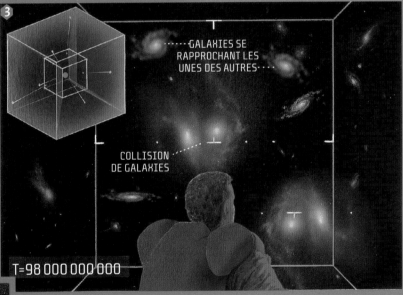

3

GALAXIES SE
RAPPROCHANT LES
UNES DES AUTRES

COLLISION
DE GALAXIES

T=98 000 000 000

### 4. VERS 99 MILLIARDS D'ANNÉES UN IMMENSE CHAMP D'ÉTOILES

Magnifique ! C'est la fin du noir de l'espace. L'Univers est environ 100 fois plus petit qu'il ne l'était en 2040, et les galaxies ont disparu pour laisser place à un immense champ d'étoiles. Bien sûr, beaucoup d'entre elles sont moribondes, mais sur les milliards de milliards qui peuplent l'Univers, un bon nombre brillent encore. La température moyenne de l'espace grimpe. Elle est désormais d'environ 20°C. Rien de surprenant : toutes les molécules de gaz contenues dans l'Univers se retrouvent confinées et se heurtent sans cesse, produisant ainsi de la chaleur.

GALAXIES FONDUES
EN UN CHAMP D'ÉTOILÉS

000

# ÉPILOGUE

J'entends à nouveau la voix des cosmologistes. « La simulation s'est arrêtée car nous ignorons la fin de l'histoire : notre physique est incapable de prévoir ce qui se passera lorsque l'Univers sera réduit à une tête d'épingle, comme lors du big bang. Bien sûr, vous ferez demi-tour bien avant ! L'Univers, vers sa fin, sera trop petit pour vous contenir. Alors, prêt à tenter le grand voyage et nous révéler enfin lequel de ces scénarios est le bon ? »

J'étais cette fois complètement déprimé ! Voir deux fois en un après-midi la fin de l'Univers, même simulée, c'était trop dur. Mon chef voulait vraiment que je m'y colle, il m'a dit : « C'est la fin de l'Univers ou celle de votre carrière. » Aujourd'hui, je pratique la pêche à la ligne au soleil. Et j'essaie d'oublier que notre étoile n'en a plus que pour 4,5 milliards d'années... ●

**Remerciement à James Lequeux, de l'Observatoire de Paris, et à Christian Magnan, de l'université de Montpellier II pour son explication du « big crunch ».**

# ALERTER

# La nature en

## Comment
## la préserver ?

Fin août 2002, 10 000 personnes,
chefs d'État, responsables
d'associations, hommes d'affaires...
se sont réunis à Johannesburg, en
Afrique du Sud. L'objectif ?
S'engager, entre autres, à préserver
la diversité inouïe des milieux, des
plantes et des animaux qui
caractérise notre planète –
ce qu'on appelle la « biodiversité ».
Plus de 1,7 million d'espèces ont été
décrites ! Mais saurons-nous toutes
les protéger ? Stratégie en quatre
points pour un défi d'envergure...

Par Sophie Coisne

L'homme a aujourd'hui les moyens
techniques de détruire à grande
échelle les milieux naturels.

danger

# Protéger
# les habitats

C'est entre les tropiques que l'on trouve la plus grande diversité de plantes et d'animaux. C'est aussi là que se situent le maximum d'espèces en danger : les forêts tropicales s'amenuisent d'année en année, exploitées par une population humaine qui ne cesse de grossir. On y compte deux fois plus d'habitants aujourd'hui qu'en 1960 !

L'*Homo sapiens* exerce une pression de plus en plus importante sur la planète. Résultat : les milieux « sauvages » cèdent du terrain. Et leurs locataires périssent, privés de leur refuge qui est aussi leur garde-manger.

Un exemple : 83 % de tous les mammifères menacés le sont à cause de la disparition de leur habitat.

**Replanter une forêt dévastée n'est pas facile. Mieux vaut empêcher sa destruction.**

MICHAEL WOLF / VISUM / COSMOS

## Stopper la destruction des forêts tropicales

Tristes tropiques ! Chaque année, 1,5 million d'hectares de forêt sont abattus en Indonésie, soit l'équivalent de la superficie de la Grèce. Si l'exploitation continue à ce rythme, prédit la Banque mondiale, la 3e plus grande forêt du globe aura disparu d'ici quinze ans. L'Indonésie a déjà perdu près de 40 % de sa couverture forestière en un demi-siècle, au profit de l'industrie du papier, du contreplaqué et du meuble. Buffets et fauteuils en acajou font fureur en Europe et aux États-Unis. Pour alimenter ce marché, le gouvernement indonésien n'autorise à prélever qu'une certaine quantité de bois. Mais sur le terrain, ces quotas sont dépassés. Un énorme trafic d'arbres s'est mis en place depuis quelques années : 65 % du bois de la région est tronçonné illégalement, y compris dans les réserves naturelles !

La forêt indonésienne, hélas, n'est pas un cas particulier. Un cinquième des forêts tropicales de la planète a été détruit en trente ans afin d'alimenter le commerce du bois et d'étendre les cultures. Or ces forêts contiennent une bonne partie des espèces mondiales, certaines d'entre elles très localisées, comme le tigre de Sumatra ou l'orang-outan de Bornéo. Si leur milieu s'amenuise, ces espèces risquent de disparaître. C'est la menace qui plane sur l'orang-outan, le seul grand singe, avec les gibbons, vivant hors d'Afrique. En vingt ans, son habitat a été considérablement détruit, ce qui a conduit à une réduction de moitié de cette population de primates (estimée, en 1994, à 9 300 individus seulement).

Conscient du problème, le président indonésien veut imposer une interdiction temporaire sur les coupes de bois. « Une centaine de demandes de permis d'exploiter la forêt ont été déposées sur mon bureau. Je les ai toutes rejetées », a récemment déclaré le ministre de la Foresterie. La lutte contre les coupes clandestines, hélas, sera une autre paire de manches.

**Reconstruire les récifs coralliens**

MICHEL PORCHER

**En Polynésie, des coraux morts, recouverts d'algues. Il faudra plusieurs dizaines d'années pour rebâtir ce récif.**

La santé du lac Baïkal s'est beaucoup améliorée depuis trente ans *(à g.)*. Reste une vieille usine de cellulose qui continue d'y verser ses eaux usées.

SERGUEI KARPUKHIN / REUTERS / MAXPPP

PIOTR WALCZEWSKI / BIOS

« Les récifs coralliens ? Ce sont les forêts [tro]picales de l'océan ! » s'exclame Christian [Lé]que, directeur de recherche au CNRS. Ceux [de P]olynésie, par exemple, regroupent 170 es[pèce]s de coraux, ces animaux enfermés dans une [coq]uille calcaire, 1 500 espèces de mollusques et [... ]de poissons. La carte postale, toutefois, est [moi]ns jolie aux embouchures des rivières, où [l'o]n ne trouve plus que des amas de calcaire [reco]uverts d'algues filamenteuses : les coraux [son]t morts étouffés sous des tonnes de boues [char]riées par les fleuves qui proviennent souvent [de c]hantiers installés au bord de l'eau.

« Dans le monde, tous les récifs situés près [des] côtes urbanisées souffrent de l'action de [l'ho]mme, que ce soit des rejets de l'exploitation [min]ière ou du dragage des fonds marins », [exp]lique Loïc Charpy, directeur de recherche à [IR]D (Institut de recherche pour le développe[me]nt). Ce sont 10 % des récifs de la planète qui [so]nt concernés. Une fatalité ? Pas forcément. [« Le]s récifs récupèrent très bien », rassure le cher[che]ur. Il suffit de disperser sur le fond de l'océan [des] morceaux de coraux, comme cela a été fait [en a]vril dernier au large de la Floride. « Ils pous[sen]t alors de 1 cm par an et, en vingt ans, on a [une] nouvelle colonie. » À condition d'avoir sup[prim]é la menace qui pesait sur eux, bien sûr...

## Le lac Baïkal sauvé après 30 ans de lutte

Si l'on ne s'était pas battu contre la pollution qui le menaçait, ce n'est pas « Perle de Sibérie » qu'on aurait surnommé le lac Baïkal, mais « Poubelle de Sibérie ». Depuis 1971, des mesures n'ont cessé d'être prises pour protéger ce champion de la diversité. Il contient plus de 1 000 espèces aquatiques, et beaucoup d'entre elles ne se trouvent qu'en ce point du globe, comme le phoque du Baïkal ou le poisson omul. Pour les sauvegarder, l'Union soviétique s'est attaquée à la pollution du lac en construisant des stations d'épuration autour de la réserve d'eau. Puis elle a interdit l'exploitation minière à proximité du Baïkal, l'utilisation de pesticides et d'engrais — ils pourraient se déverser dans l'eau. Pour préserver le paysage, la coupe du bois est devenue illégale sur une bande de 40 km autour de l'étendue d'eau... Seule ombre au tableau : une énorme usine de cellulose, installée sur les rives depuis les années 60 ; la majeure partie des eaux usées déversées dans le lac en provient. Le gouvernement ayant exigé qu'elle exerce des activités plus propres, elle fait depuis quelques années l'effort de traiter une partie de ses rejets polluants. Ce qui n'est pas suffisant pour les amoureux du lac qui voudraient la voir disparaître tout à fait de ce site préservé.

## Les points chauds de la biodiversité

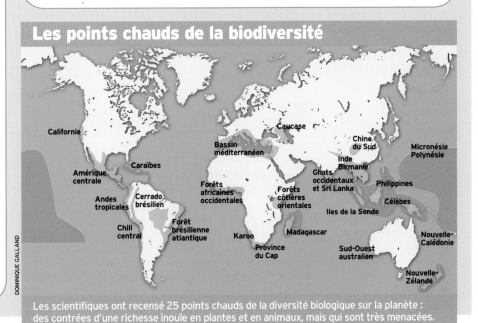

DOMINIQUE GALLAND

Californie
Caucase
Chine du Sud
Micronésie Polynésie
Bassin méditerranéen
Amérique centrale
Caraïbes
Inde Birmanie
Ghats occidentaux et Sri Lanka
Philippines
Andes tropicales
Cerrado brésilien
Forêts africaines occidentales
Forêts côtières orientales
Célèbes
Chili central
Forêt brésilienne atlantique
Iles de la Sonde
Karoo
Madagascar
Nouvelle-Calédonie
Province du Cap
Sud-Ouest australien
Nouvelle-Zélande

Les scientifiques ont recensé 25 points chauds de la diversité biologique sur la planète : des contrées d'une richesse inouïe en plantes et en animaux, mais qui sont très menacées. La plupart sont dans des zones tropicales : Indonésie, Madagascar, Caraïbes, etc.

# Lutter contre les envahisseurs

En migrant d'un coin de la planète à l'autre, l'homme a souvent emporté avec lui d'autres espèces, de façon accidentelle (accrochées à la coque d'un bateau, par exemple) ou volontaire (ils les a importées pour en tirer de l'argent d'une manière ou d'une autre). Dans 99 % des cas, l'arrivée de nouveaux animaux ou végétaux ne pose pas vraiment de problèmes. Mais dans 1 % des cas, les espèces introduites prolifèrent aux dépens des êtres vivants du coin. Pas moins de 20 % des espèces de vertébrés (poissons, amphibiens, reptiles, oiseaux et mammifères) en danger seraient actuellement menacées par de tels « aliens » très difficiles à éradiquer.

NICOLAS GRANIER / BIOS

## Nouvelle-Zélande : des carottes contre les possums

Ne vous fiez pas à ses yeux de nounours, ce marsupial, le posum, est une des pires nuisances de Nouvelle Zélande. En 1858, les colons ont importé une poignée de ces mammifères depuis la Tasmanie et l'Australie, afin d'exploiter leur fourrure. Les bestioles furent lâchées dans la nature et ne trouvèrent, dans ce nouveau milieu, pas un concurrent pour limiter leur accès à la nourriture. Résultat : un siècle et demi plus tard, 70 millions de possums mâchouillent la forêt néo-zélandaise ! Scronch, scronch... chaque nuit, ces mammifères engloutissent l'équivalent de 4000 camions-citernes de jeunes

pousses d'arbres, fleurs et bourgeons. Ils ont réduit le nombre d'espèces végétales dans la région d'Auckland, gobent les œufs d'oiseaux et menacent le kokako (un volatile du coin), déjà en voie de disparition...

Les Néo-Zélandais estiment qu'à elle seule, cette peste animalière cause 80 millions de dollars de dommages par an. Auxquels s'ajoutent des dizaines de millions de dollars destinés au contrôle de l'animal. Pour s'en débarrasser, de nombreuses opérations ont été lancées. Les pièges et les appâts empoisonnés ont eu pas mal de succès : certaines régions de l'île sont aujourd'hui dépourvues de ces mammifères velus. Mieux, plusieurs labos néozélandais planchent sur des moyens de limiter la multiplication du possum sans tuer la bête. L'un d'entre eux met notamment au point une carotte stérilisante. Modifié e génétiquement, ce légume contiendrait une protéine agissant sur les organes reproducteurs des femelles qui le mangent.

De jolies boules de poils, mais les possums causent chaque année 80 millions de dollars de dégâts.

VICTOR BORLANDELLI / AGENCE GRAND BLEU

L'arrachage à la main : souvent la seule solution pour se débarrasser de la jacinthe d'eau qui étouffe lacs et cours d'eau.

## Quelle riposte contre un fléau mondial ?

Les pires mauvaises herbes aquatiques, ce sont elles : les jacinthes d'eau. Jugez plutôt : si les conditions sont bonnes, ces plantes sont capables de doubler la surface qu'elles occupent en moins d'une semaine ! Elles forment alors, sur la rivière ou le lac, un tapis végétal que la lumière du jour ne peut plus traverser. Les algues situées plus en profondeur meurent, et les animaux qui s'en nourrissent aussi.

De nombreux pays ont fait les frais de cet alien vert après avoir importé du Brésil cette plante aux jolies fleurs mauves. La jacinthe d'eau a envahi les eaux douces du sud des États-Unis, d'Amérique Centrale, de plusieurs pays africains, d'Inde, d'Australie et de Nouvelle-Zélande. Mais la plante envahissante est loin d'avoir le dernier mot partout : on l'arrache à mains nues ou à l'aide de moissonneuses flottantes, on l'empoisonne à coup d'herbicides, on lance sur elle une armée d'insectes qui creusent des galeries dans ses tiges. En Louisiane (États-Unis), cette dernière technique a permis de diminuer par cinq l'extension de l'envahisseur. Non mais !

## Ne jamais déménager une espèce !

Autrefois, 400 espèces de cichlidés, des poissons colorés très appréciés des collectionneurs, nageaient dans le lac Victoria, au Kenya. Aujourd'hui, il n'y en a plus que 200. Le responsable ? Le capitaine du Nil, un poisson introduit dans le lac en 1954 par les Britanniques pour lancer la pêche sportive et pallier l'appauvrissement des stocks de poissons commerciaux. Sans penser à mal, on transféra le capitaine des fleuves du Sénégal et du Zaïre dans le lac Victoria. Mais l'animal s'est avéré un envahisseur redoutable. Il s'est mis à boulotter les cichlidés, tant et si bien que le capitaine représente aujourd'hui 80 % des poissons du lac.

Introduit dans le lac Victoria, le capitaine, un énorme poisson, a dévoré sa faune naturelle.

D'un point de vue écologique, on est d'accord : ce vertébré a fait des ravages. Et pourtant, aucun homme politique ne se lancerait dans son éradication : chaque année, les ventes de ce poisson rapportent 400 millions de dollars de recettes aux pays qui l'exploitent.

# Consommer
## avec modération

Au début du XIXᵉ s., 60 millions de bisons vivaient en Amérique du Nord, tranquillement chassés par les Indiens. Vint l'homme blanc qui, en moins d'un siècle, décima la quasi-totalité de ces mammifères pour leur fourrure et leur viande. En 1894, il ne restait plus que 300 bisons sur le territoire. Quelle leçon avons-nous tirée de cette triste histoire ? Le seul moyen d'éviter une nouvelle tragédie est de prélever juste ce qu'il faut d'animaux et de plantes dans le milieu, tout en veillant à ce que les populations restent suffisamment importantes pour se reproduire. Plus facile à dire qu'à faire : chasse, pêche et braconnage sont encore aujourd'hui la troisième cause de disparition des espèces.

**La consommation de viande de brousse** un grave danger pour certaines espèces

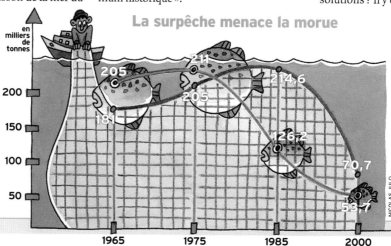

**La pêche industrielle est devenue trop efficace et menace aujourd'hui de vider les océans.**

JEAN GAUMY/MAGNUM

Et s'il n'y avait que cette espèce ! Mais les stocks de plie, de merlan et de sole laissent également les chercheurs perplexes. Comment en est-on arrivé là ? Les populations ont été fragilisées par des perturbations de l'environnement : pollution, hivers trop chauds pour que les jeunes morues se nourrissent correctement. À cela s'est ajouté le développement de techniques de pêche de plus en plus efficaces, permettant de puiser encore plus dans les réserves : des navires-usines capables de rester en mer pendant des semaines, des sonars qui détectent les bancs de morues, thons, harengs... La quantité de poissons, mollusques et crustacés capturés dans le monde a quintuplé en quarante ans, atteignant 100 millions de tonnes par an !

Bien sûr, ces techniques ne poseraient pas de problème si on laissait suffisamment d'animaux en liberté pour qu'ils se reproduisent. Mais les pêcheurs puisent à l'excès dans les stocks. Une attitude d'autant plus inquiétante que l'appauvrissement d'une réserve traditionnelle oblige à aller pêcher, plus loin et profond, des espèces nouvelles dont on connaît mal la biologie et qui pourraient s'épuiser vite fait. Des solutions ? Il y en a beaucoup. Pour sauver la morue de la surpêche, par exemple, on limite sa capture en imposant des quotas de prises ou en protégeant les zones de reproduction. Cette année, une nouvelle mesure oblige les pêcheurs à employer des filets à mailles plus larges que d'habitude. De cette manière un nombre plus important de jeunes morues pourront être épargnées et atteindre la taille de reproduction.

## L'océan n'est pas inépuisable

Prenez le temps de déguster vos croquettes de cabillaud (ou morue) : elles pourraient bientôt disparaître de votre assiette. La surpêche menace les stocks de ce poisson de la mer du Nord. Les captures ont été si importantes ces dernières années que les cabillauds ne sont plus assez nombreux aujourd'hui pour renouveler la population. Et depuis dix ans, les pêcheurs en remontent de moins en moins dans leurs filets. Paul Marchal, responsable de laboratoire à l'Ifremer (Institut français de recherche pour l'exploitation de la mer), note ainsi qu'« en 1970, les cabillauds susceptibles de se reproduire se chiffraient aux environs de 250 000 t. En 2000, ils ne sont plus que 50 000 t : un minimum historique ».

**La surpêche menace la morue**

en milliers de tonnes

205
211
181
205
214,6
126,2
70,7
59,7

200
150
100
50

1965   1975   1985   2000

NICOLAS JULO

 Quantité de morue pêchée (mt)    Diminution du stock de reproducteurs (mt)

## Des animaux à bannir des assiettes

Finir en ragoût : triste sort pour un gorille. Déjà menacé par la disparition de son habitat (on compte 3 000 de ces primates à l'est du Zaïre et à peine 400 au Rwanda et en Ouganda), ce singe se retrouve aujourd'hui sur les étals des marchés africains sous l'appellation « viande de brousse ». Tout comme les chimpanzés, les éléphants, les porcs-épics. Ainsi, chaque année, 1 million de tonnes de chair d'animaux sauvages serait vendue dans les pays du bassin du fleuve Congo.

« Chasser des animaux sauvages, où est le problème ? », demanderez-vous. On capture bien des cerfs et des sangliers en France. Par ailleurs, de nombreuses familles en Afrique et en Asie survivent grâce à la viande de brousse qu'elles vont prélever dans la forêt. Cette chasse de subsistance a toujours existé et ne constitue pas une menace pour la faune.

En revanche, la chasse aux animaux sauvages inquiète lorsqu'elle vise des animaux protégés et en voie de disparition, et qu'elle est pratiquée dans un but commercial où seul le profit compte. Souvent, cette viande est destinée aux villes où elle devient un aliment de luxe, plus cher encore que le bœuf. Pour lutter contre le commerce de viande de brousse, une solution est de veiller à ce que les réserves ne soient pas objet de braconnage. L'autre, plus efficace à court terme, est de se lancer dans l'élevage d'espèces natives de la région. C'est notamment ce que font le Bénin, le Sénégal et le Gabon. Dans ce dernier pays, le nombre de créations d'élevages d'animaux sauvages a triplé en quatre ans. Et l'on compte désormais 46 fermes à porcs-épics, rats de Gambie, aulacodes (des rongeurs) ou potamochères (des sangliers) !

## Élever plutôt que chasser les espèces menacées

Chaussures en croco, boucles d'oreilles en ivoire, châle en laine d'antilope du Tibet ou en lama des Andes… les fous et folles de mode sont parfois prêts à dépenser des fortunes pour un accessoire taillé dans un matériau naturel et précieux. Un caprice qui, sans être la principale source d'extinction des espèces, fait peser de lourdes menaces sur plusieurs dizaines d'animaux, au rang desquels la panthère, l'ocelot ou le loup.

La vigogne est une de ces victimes de la mode. Cette cousine du lama, qui vit dans la cordillère des Andes au-dessus de 4 000 m d'altitude, est recouvert d'une laine si fine que les conquistadors la baptisèrent « soie du Nouveau Monde ». C'est pour cette fibre de luxe que la vigogne fut chassée, jusqu'à ce qu'il ne reste plus que quelques milliers d'animaux en Argentine, au Chili, au Pérou et en Bolivie. Heureusement, un plan musclé a permis de sauver la vigogne de l'extinction. Primo, on l'inscrivit, dans les années 70, sur la liste de la Cites (Convention sur le commerce international des espèces sauvages menacées d'extinction). Tout commerce de viande, de peau ou de laine de vigogne devenait hors-la-loi. Secundo, les États concernés lancèrent des programmes de conservation de l'espèce : protection des animaux sauvages, reproduction en captivité, élevage. Ces mesures ont été si efficaces que dix ans plus tard, la Cites autorisait un commerce contrôlé de la laine de vigogne, preuve que l'espèce était sortie du rouge. Le Pérou abrite aujourd'hui plus de 100 000 bêtes, à l'état sauvage pour la plupart. Et pour s'assurer que le braconnage de vigogne ne reprenne pas, l'industriel qui commercialise la quasi-totalité de la laine de vigogne dans le monde s'est engagé à n'acheter que de la laine d'animaux tondus.

**En Amérique du Sud, un plan de protection et d'élevage a sauvé la vigogne de l'extinction.**

# Conserver
## les derniers spécimens

Q uand il n'existe plus que quelques individus d'une espèce dans un milieu donné, la tentation est grande de les faire se reproduire dans un zoo, avant de les relâcher. Pour autant, même s'ils enregistrent un certain succès, les programmes de réintroduction ne sont pas la meilleure des méthodes de conservation. Ils coûtent si cher que l'on ne pourra pas sauver toutes les espèces menacées de cette manière. Une solution plus raisonnable à long terme ? Créer des réserves naturelles. On compte aujourd'hui 4 500 sites protégés dans le monde.

Reproduit en zoo, l'oryx d'Arabie, sauvé, a retrouvé le désert d'Oman.

## L'oryx d'Arabie ressuscité

Une quinzaine d'animaux dans la péninsule arabique ! Au début des années 1960, voilà tout ce qu'il restait des troupeaux d'oryx d'Arabie, une espèce d'antilope. Chassés pour leur viande et leurs cornes, ces mammifères ont reçu le coup de grâce avec le développement de l'élevage. Chèvres et moutons retiraient le pain de la bouche des oryx en dégustant leurs pâturages. Aujourd'hui, pourtant, des centaines d'oryx broutent en Israël, Oman, Jordanie et Arabie saoudite. Par quel prodige ? Un programme de réintroduction. Les rares spécimens restants ont été capturés et installés dans plusieurs zoos. Puis les vétérinaires ont organisé leur reproduction avant de les relâcher dans leurs pays d'origine.

L'histoire de l'oryx d'Arabie n'est pas un cas isolé. Partout dans le monde, 126 espèces de mammifères, reptiles, poissons... font actuellement l'objet d'un tel programme. Et si la réintroduction était le meilleur moyen de donner un coup de pouce aux espèces menacées ? Un tour par le zoo, une multiplication, et hop ! retour au bercail ? « Pas si simple, répond Michel Saint-Jalme, enseignant-chercheur au Muséum national d'histoire naturelle. Pour qu'une réintroduction fonctionne, il faut que l'animal accepte de se reproduire en captivité, ce qui ne coule pas toujours de source. » Ensuite, à naître et vivre en zoo, les animaux perdent les comportements qui leur permettraient de survivre dans leur milieu d'origine : les carnivores ne savent plus chasser, les oiseaux reconnaître les prédateurs. Avant de les relâcher, il faut leur apprendre à repérer leurs proies et nicher dans des lieux sans danger. Mais la plus grosse difficulté est sans doute de s'assurer que la menace qui pesait sur l'animal a disparu avant de le réintroduire. Si désormais les oryx vivent très bien en Arabie, leur population décline en Oman, victime d'un braconnage qui n'a pas été complètement solutionné.

## Des patates à la banqu

Au Pérou, une banque renferme plus de 5 variétés de patates de toutes les tailles et de tou les couleurs. L'idée est moins saugrenue qu'i paraît. Au milieu du XIXᵉ s., en Irlande, on ne tivait qu'un seul type de pomme de terre. L qu'elle fut attaquée par la brunissure, un pa site, toutes les récoltes furent dévastées. millions d'Irlandais moururent de faim ou fu contraints à quitter leur pays. Que n'avaien planté plusieurs variétés de patates, comme paysans péruviens ! Il est probable qu'alors l' de ces variétés aurait résisté aux assauts champignon. Car chaque sorte de pomm terre a ses propres particularités : résistance insectes pour l'une, capacité de croissa énorme pour l'autre. C'est d'ailleurs en crois les variétés entre elles que les agriculteurs s parvenus à obtenir les tubercules productifs l'on frit aujourd'hui.

Au Pérou, 5000 variétés de patat

Décider de conserver la diversité, ce n' donc pas seulement protéger les espèces, m aussi la richesse à l'intérieur de chaque espè les races animales, les variétés de plan domestiques ou sauvages qui peuvent se rév un jour être d'une importance économi considérable. Un réseau de coffres-forts a été créé pour toutes les plantes agricoles imp tantes : banque de la pomme de terre au Pér banque du riz aux Philippines (90 000 variété banque du maïs au Mexique, etc.

Le meilleur moyen de protéger un milieu naturel est encore de le transformer en réserve (ici, la Grande Barrière de corail en Australie).

JEAN-PAUL FERRERO / PHONE

## Sous réserves

Pas question de pêcher ni de faire mouiller des bateaux au niveau de la Grande Barrière de corail, en Australie. Ce récif, l'un des plus riches en espèces, est protégé par une réserve. Ce mode de conservation est le moyen idéal de préserver les espèces et leur milieu. Il permet en effet de limiter les menaces qui pèsent sur elles, tout en les laissant poursuivre tranquillement leur évolution. Sur la terre ferme, la superficie de zones protégées est passée de 3 millions de km² en 1970 à 12 millions de km² à la fin des années 90, ce qui représente 4 500 sites.

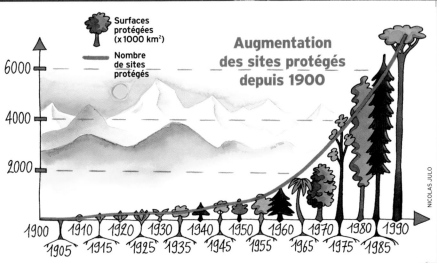

Augmentation des sites protégés depuis 1900

Surfaces protégées (x 1000 km²)

Nombre de sites protégés

6000 — 4000 — 2000 —

1900 1905 1910 1915 1920 1925 1930 1935 1940 1945 1950 1955 1960 1965 1970 1975 1980 1985 1990

NICOLAS JULO

## Les nouvelles arches de Noé

Il y a deux zoos dans le parc zoologique de San Diego (États-Unis). Le premier présente aux badauds une myriade d'espèces plus exotiques les unes que les autres. Le second n'est visité que par les chercheurs et les vétérinaires. Il s'agit d'un parc miniature qui ne contient pas de bêtes entières, mais leurs cellules. Étrange idée que de stocker des échantillons d'animaux ? C'est que les zoos se sont fixé pour objectif de conserver 90 % de la diversité animale d'ici deux cents ans. Or ils ont beau être 2 000 dans le monde, les parcs animaliers n'ont pas la place d'installer tous les animaux de la planète dans leurs murs. « Même si la moitié de chaque zoo était utilisée pour conserver des espèces en voie de disparition, on ne pourrait en préserver que 1 000, explique Michel Saint-Jalme. Or ils ne consacrent que 10 % de leur surface aux animaux menacés. »

D'où les banques de sperme et de cellules avec, en guise de coffres-forts, des bonbonnes d'azote liquide capables de garder au frais de quoi, théoriquement, relancer une espèce menacée ou disparue dans la nature. Le sperme d'un tigre, par exemple, devrait permettre de féconder les dernières femelles de l'espèce en cas de besoin. Quant aux cellules, on espère qu'elles pourront un jour servir, par des techniques de clonage, à recréer des animaux disparus... ●

Des zoos où les pensionnaires sont des cellules.

Remerciements à Caroline Tutin, de l'université de Stirling ; Loïc Charpy, de l'IRD ; Michel Saint-Jalme, du Muséum national d'histoire naturelle ; Christian Lévêque, du CNRS ; et Paul Marchal, de l'Ifremer.

# JEUX VIDÉO : UNE NOUVELLE DROGUE ?

Depuis un an, une quinzaine de jeunes adultes ont poussé la porte d'un centre de soins parisien afin de décrocher... des jeux vidéo ! Qui sont les cyber-drogués ? Peut-on devenir aussi accro à « Doom », « EverQuest » ou « Tétris » qu'au tabac ? Enquête.

PAR SOPHIE COISNE

**Plusieurs dizaines de nouveaux titres sortent chaque mois. Une manne pour les accros...**

**«S**'il vous plaît, docteur, aidez-moi à décrocher!» On prêterait volontiers cette phrase à un fumeur. Elle a été prononcée par un cadre parisien en pleine santé. L'homme avait une brillante carrière de concepteur de jeux vidéo devant lui. Seulement voilà : à force de rester scotché devant son écran d'ordinateur, il en est devenu complètement accro. L'idée d'éteindre son PC le faisait souffrir, il n'était plus capable de sortir de chez lui et ne pouvait communiquer avec son entourage que par clavier interposé.

Un cas particulier? Pas vraiment. Depuis décembre 2001, une quinzaine de jeunes adultes (ou de parents inquiets pour leur fils) ont poussé la porte du Centre médical Marmottan (Paris) pour «cyber-dépendance», autrement dit dépendance sévère aux jeux vidéo ou à Internet. Leur point commun? La console ou le Net sont devenus le centre de leur existence. Cette passion les a conduits à abandonner leurs études, perdre leur boulot, couper les ponts avec leurs amis. Et quand ils ont pris conscience de leur état et décidé de décrocher, ils ont découvert que sans aide extérieure ils étaient incapables d'arrêter de jouer. Exactement comme s'ils étaient accros à l'alcool ou à la cocaïne.

Mario[1] était l'un de ces cyberdrogués. «Il passait ses journées dehors, jusqu'à tard dans la nuit, explique son père. On ne s'inquiétait pas : il nous disait qu'il allait à la fac et nous donnait des notes d'examens. En fait, il inventait tout! Il passait ses semaines à jouer à *EverQuest*, un jeu vidéo auquel on accède par Internet. Une fois devant son ordinateur, il ne pouvait plus s'arrêter, même la nuit. Il a fallu l'envoyer six mois à la campagne, sans PC, pour qu'il parvienne à décrocher.»

«Les premiers accros de ce type ont été repérés en 1995 aux États-Unis», explique Irène Codina, psychologue au Centre Marmottan. À l'époque, une Américaine avait perdu la garde de ses enfants car elle passait tout son temps sur les forums de discussion. Sept ans plus tard, on ignore toujours combien de personnes sont dépendantes à Internet et aux jeux vidéo. «Le phénomène est tellement nouveau qu'aucun chercheur n'a encore entrepris de les compter», remarque la spécialiste. D'autant que «pour trouver les cyber-dépendants, il faudrait qu'ils viennent se faire soigner. Or, la plupart du temps, ils ignorent leur état». Et pour cause! Demandez que l'on vous cite le nom d'une drogue et l'on vous parlera de cannabis, d'ecstasy ou d'héroïne, pas de jeux vidéo. Pourtant, les psychologues sont formels : on peut être accro à autre chose qu'une substance chimique. De 2 à 3 % de la population adulte souffrirait ainsi de dépendance aux jeux d'argent et de hasard (tiercé, poker, casino), 4 % de dépendance sévère aux achats, et une petite portion de dépendance à un jeu vidéo.

## PIÉGÉS PAR L'ÉCRAN

On trouve ainsi des drogués à *Tétris*, ce jeu qui consiste à empiler des pièces de puzzle de plus en plus vite. Peu nombreux, ce sont souvent des adultes. «Ils viennent nous voir en disant : "chaque fois que j'allume mon ordinateur, je ne peux m'empêcher de jouer trois heures à ce jeu idiot", explique Marc Valleur, psychiatre au Centre Marmottan. C'est l'effet cacahuète : quand le joueur commence une partie, il s'y attarde systématiquement plus longtemps que prévu. Il faut dire que *Tétris* a un effet presque hypnotique. Ce genre de dépendance n'est pas grave. En général, le seul fait d'en parler règle le problème.»

Puis il y a les accros aux *«shoot'em up»* (anglais pour «dégomme-les»). Ces jeux, tels que *Doom* ou *Quake*, consistent à tirer sur tout ce qui bouge : zombies, nazis, etc. «Ça défoule!», explique Titou, 18 ans. Ils se jouent pour la plupart en réseau. «Jouer contre son ordinateur, c'est bien cinq minutes, remarque Pyro, 19 ans. Mais après vingt parties, on s'ennuie parce que la machine est prévisible. Contre un adversaire humain, au contraire, on peut avoir des surprises.» Les parties ne durent que de trente minutes à une heure, mais elles nécessitent une concentration totale pour ne pas se faire éliminer. De quoi voir les heures défiler sans s'en rendre compte. En général, ce sont les ados qui en sont accros. «On connaît des jeunes qui décrochent avant le bac et deviennent vendeurs de pizzas pour y jouer tranquillement», note Marc Valleur.

## CHANGER DE PEAU

Mais l'essentiel des cyber-drogués s'adonnent à un autre sport : les jeux de rôle ou de stratégie en réseau (*EverQuest, Mankind, Dark Age of Camelot,* etc.). « Il m'est

### Suis-je vraiment accro ?

La question vous tarabuste ?
Pour savoir où vous en êtes
de votre consommation de jeux
vidéo ou d'Internet, la psychologue
américaine Kimberly Young,
de l'université de Pittsburgh,
propose ce petit test :
● Ressentez-vous un manque
lorsque vous n'êtes plus
sur votre ordinateur ?
● Est-ce que vous pensez à
Internet ou aux jeux vidéo même
quand vous n'êtes pas connecté ?
● Avez-vous besoin de passer
de plus en plus de temps
devant votre ordinateur ?
● Lorsque vous vous connectez,
est-ce que vous restez plus
longtemps que vous ne l'aviez
prévu sur Internet ?
● Devenez-vous incapable
de contrôler votre utilisation ?
● Vous sentez-vous irritable
quand vous vous apprêtez
à débrancher votre ordinateur ?
● Mentez-vous à votre famille
ou à vos amis pour cacher le temps
que vous passez sur l'ordinateur ?
● Risquez-vous de redoubler
ou de perdre vos amis à cause
de l'utilisation d'Internet ?
● Allez-vous sur Internet
pour échapper à des problèmes ?
Selon Kimberly Young,
une personne peut être considérée
comme cyber-dépendante
si elle répond « oui » à au moins
quatre de ces questions. Si tel
est votre cas, la meilleure façon
de vous faire aider c'est d'en parler
avec vos parents, un psychologue
ou le service médical scolaire.

AGOSTINI E. / LIAISON/GAMMA

**Une salle de jeux en réseau à New York. C'est aux États-Unis, en 1995, que les premiers cyber-drogués ont été détectés.**

arrivé de jouer vingt-quatre heures d'affilée à *Anarchy on Line*, en ne me nourrissant que de céréales, avoue Alfred, 28 ans. Quand j'ai une mission à faire — genre tuer 200 monstres pour passer au niveau supérieur — c'est prioritaire sur tout, y compris payer mon loyer. » Les dépendants aux jeux stratégiques sont plutôt des adultes. « Parce qu'il faut une carte de crédit pour s'abonner à ces parties et que ces jeux nécessitent d'y passer beaucoup de temps ; les ados ont leurs parents derrière eux, qui contrôlent leurs

horaires », remarque Marc Valleur. Ces jeux d'aventure se jouent souvent en équipe, avec des internautes du monde entier. Il est fréquent de voir 50000 personnes participer en même temps aux joutes de *Dark Age of Camelot*. Dès l'inscription, le *gamer* se crée un personnage. Dans *EverQuest*, il devient paladin ou magicien en combinant les caractéristiques à sa disposition. Dans *Mankind*, il endosse la personnalité qu'il désire. « Un joueur s'est même proclamé pape ! » raconte Yannis Mercier, directeur de Vibes, la société qui édite ce jeu.

La possibilité de revêtir une nouvelle peau — et les pouvoirs et techniques de combat qui vont avec — fait beaucoup dans l'attrait de ces jeux. L'autre intérêt,

PHOTOS H/DR

**Ce sont les jeux de rôle ou de stratégie en réseau, comme *EverQuest*...**

**... *Mankind*...**

évidemment, c'est le genre d'aventure que vous vivez dans le monde virtuel. « Trip » médiéval ou baston sidérale, c'est « complètement délirant ! s'enthousiasme Mohamed, un aficionado de *Mankind*. Vous vivez des choses impossibles à vivre dans la vraie vie : une guerre des étoiles, des régates de vaisseaux spatiaux... » Que vous soyez cuistot ou ingénieur, si vous êtes bon, vous pouvez rapidement vous retrouver à la tête d'un groupe de joueurs. Et le tout pour plusieurs années. « On a calculé qu'avec 900 millions de planètes à visiter, il faudrait trois siècles pour sortir de la galaxie *Mankind* », s'amuse Yannis Mercier.

## EST-CE GRAVE, DOCTEUR ?

« Dire qu'on peut être drogué à cette activité-là, c'est du pipeau, fulmine Mohamed. Les gens que l'on prend pour des accros des jeux vidéo sont simplement des passionnés, au même titre qu'un type qui passe des milliers d'heures à construire une tour Eiffel en allumettes. » Mohamed sait de quoi il parle : « Il m'est arrivé de me réveiller toutes les nuits pendant une semaine pour contrer les attaques d'une équipe d'Australiens », raconte-t-il. Rien de grave, vu que « ça ne m'a pas empêché de réussir mes partiels de maths ». Et faut-il s'inquiéter pour Alfred, qui se dit drogué aux jeux vidéo car il est capable de passer vingt-quatre heures non-stop sur son jeu favori ? Pas plus. Car « lorsque ce genre de choses m'arrivent, le lendemain, je me dis : faut que je me calme. Alors je me sanctionne : je casse le CD du jeu ».

Que les « *serial players* » se rassurent : la dépendance aux jeux vidéo ne se mesure ni au nombre d'heures passées devant l'ordinateur, ni aux plages horaires auxquelles on joue, ni au type de jeu vidéo. L'immense majorité des fans de *Doom*, *Mankind*, *Ever-Quest*, *Anarchy on Line*... est parfaitement bien dans ses baskets. En revanche, un joueur a de quoi s'inquiéter lorsqu'il devient capable d'annuler plusieurs parties de foot de suite pour construire des usines d'extraction dans la galaxie XYZ. Ou quand, comme Mario, il abandonne ses études et ment à ses parents pour aller jouer tous les jours à *EverQuest*.

« Il y a dépendance quand le joueur n'arrive plus à s'arrêter de jouer tout seul et que sa pratique des jeux vidéo a des conséquences négatives sur sa vie en termes d'argent, de résultats scolaires, de vie familiale, précise le docteur William Lowenstein, directeur de la clinique Montevideo, à Boulogne-Billancourt, et président de SOS Addictions. Autre façon de le reconnaître : on constate chez le dépendant une insatisfaction perpétuelle. Quel que soit le nombre d'heures auquel il joue, cela ne lui suffit pas. En jouant, il n'obtient pas un bien-être : il soulage sa souffrance. » Vous l'aurez compris : on ne devient pas drogué aux jeux vidéo par hasard. C'est souvent une histoire familiale un peu douloureuse (les parents

**POUR EN SAVOIR PLUS**
*Les Addictions*, par Marc Valleur et Jean-Claude Matysiak, éd. A. Colin.

**ADRESSES UTILES**
Clinique Montevideo (Boulogne-Billancourt), tél. : 01.41.22.98.88.
E-mail : montevideo@montevideoclinic.net
Centre médical Marmottan (Paris), tél. : 01.45.74.00.04.

divorcent ou ne « comprennent rien à rien »), des difficultés à l'école, au boulot ou avec les copains... qui poussent un amateur de jeux à se réfugier dans un monde virtuel plus valorisant. « Ainsi, il échappe à ce qui fait peur dans le monde réel, exactement comme le fait un gros consommateur de cannabis, explique Irène Codina. Les jeux permettent de surmonter une anxiété passagère ou une crainte à affronter la vie avec ce qu'elle a de banal. »

## LA « DOOM » THÉRAPIE

Pour sortir de la cyberdépendance, il y a bien sûr la méthode radicale, celle qu'a adoptée le père de Mario : l'ordinateur au placard et six mois à la campagne... « C'est souvent comme ça que réagissent les adultes. Mais la coupure nette avec le PC n'est pas obligatoire, remarque la psychologue. D'autant que beaucoup de cyber-drogués ont l'ordinateur pour outil de travail ! On peut par exemple conseiller à quelqu'un qui ne peut plus contrôler les heures passées sur *EverQuest* d'arrêter ce jeu et de passer à *Doom*, dont les parties ne durent que trente minutes. C'est une façon de lui redonner la maîtrise de sa consommation d'ordinateur. » L'autre idée, essentielle, est que le cyber-drogué parle, de lui-même, de ses angoisses avec un psychologue. Cette psychothérapie l'aidera à prendre conscience des événements qui ont contribué à le rendre dépendant aux jeux.

Aux États-Unis et au Canada, des sites Internet proposent même aux cyber-drogués de les aider à décrocher, grâce à des forums de discussion ! « Mais souvent, les ados refusent de rencontrer un psy, poursuit Irène Codina. Pour eux, ils vivent leur passion à fond. Et quand leur mère leur reproche de passer trop de temps sur leur console, ils considèrent que c'est elle qui a un problème. Dans ce cas, on ne peut pas les forcer à venir nous voir. » Alors pour que ces jeunes sortent de leur enfermement, les psychologues du Centre Marmottan traitent... leurs parents ! Et ça marche souvent. « On arrive à dénouer des tensions familiales. L'ado sort alors, de lui-même, de sa dépendance. » Au fond, ce ne sont donc pas tant les jeux vidéo qui posent problème, mais les tracas de la vie quotidienne qui poussent parfois un joueur désœuvré à trouver la vie virtuelle nettement plus belle que la vie réelle. ●

... ou *Dark Age of Camelot*, qui semblent captiver le plus.

1. Le prénom de cet étudiant a été modifié.

# TRIBUS

**Partout dans le monde, des hommes sont harcelés, chassés de leurs terres et parfois même exterminés. Pourquoi ? Tout simplement parce qu'ils sont nés dans une ethnie minoritaire et parce que les ressources de leur territoire sont convoitées. Histoires d'une malédiction...**

PAR CARINE PEYRIÈRES

## LES MASSAÏS, SPOLIÉS AU NOM DE L'ÉCOLOGIE

Réputés pour leur stature et leurs extraordinaires parures colorées, chouchous des magazines, les Massaïs sont parmi les peuples indigènes les plus connus de l'Occident. Éleveurs hors pair, ils nomadisent avec leurs troupeaux sur de très larges étendues. Jadis ils occupaient un immense territoire, à cheval sur le Kenya et la Tanzanie. Mais, dès le début du XXᵉ s., les colons anglais se sont emparés de plus de la moitié de leurs terres. Notamment des zones les plus fertiles, riches en points d'eau, où ils avaient l'habitude de se replier à la saison sèche... Pour légitimer ce vol, les colons ont affirmé que leurs troupeaux, trop importants, contribuaient à la désertification de la région. Une accusation injuste : les Massaïs déplacent en permanence leurs bêtes afin de laisser aux pâturages le temps de se régénérer. Depuis, ce sont près de 13 000 km² supplémentaires qui leur ont été grappillés ! Cette fois pour y créer des parcs nationaux comme l'Amboseli ou le Serengeti, destinés à protéger les animaux de la région. Certes le Kenya et la Tanzanie abritent de nombreuses espèces rares, mais les Massaïs les ont toujours respectées... Aujourd'hui, ils vivent sur un territoire trop petit et mal irrigué. Pour éviter que le sol qu'il leur reste se désertifie, ils ont dû réduire la taille de leur troupeau à tel point qu'il ne suffit plus à subvenir à leurs besoins. Eux qui vivaient en autarcie sont devenus dépendants du monde des villes et du tourisme... Désormais, beaucoup subsistent en dansant dans les hôtels, en fabriquant des lances et des bijoux pour les magasins de souvenirs ou en taxant les touristes en visite dans leurs villages.

# PEUPLES EN DANGER

Massaïs grimpant sur la Montagne des dieux (Tanzanie) pour y prier. En un siècle, ce peuple de nomades a été privé de la plus grande partie de ses territoires. Au nom de la protection de la végétation d'abord, puis de celle des animaux !

# LES PAPOUS, ENTRE LA MINE ET LE FUSIL

M. FREEMAN/CORBIS

**Un trou béant : voilà ce qu'il reste d'une montagne papoue après que le gouvernement indonésien l'a vendue à une compagnie américaine d'extraction de l'or.**

C & J LENARS/CORBIS

Décapitée ! La montagne du Puncak Jaya, qui dominait autrefois le territoire des Danis et des Amungmes de Papouasie (partie indonésienne de l'île de Nouvelle-Guinée) n'est plus qu'un gigantesque trou béant. Cédée par le gouvernement indonésien — qui n'a même pas pris la peine d'en informer les tribus papoues qui habitaient à proximité — à la compagnie américaine Freeport-McMoran, elle abrite aujourd'hui la plus grande mine d'or de la planète. Autour du site, une immense portion de la forêt a été dévastée pour la construction d'infrastructures annexes, de routes, et même de villes entières destinées à loger les employés de la mine. Les Danis et les Amungmes ont donc été chassés de leur territoire. Et ils ne sont pas les seuls. Leurs voisins des basses terres, les Kamoros, ont également dû s'enfuir. Chaque jour, la mine rejette dans leur rivière 125000 t de boues chargées en substances toxiques comme le mercure (utilisé pour détacher l'or de la roche), rendant l'eau impropre

Tribu danie en tenue guerrière simulant une attaque (Irian Jaya, Indonésie). Depuis l'ouverture de la mine, Danis et Amungmes sont victimes non seulement de la pollution, mais aussi des violences de l'armée chargée de protéger le site.

# LES ROHINGHYAS, APATRIDES ET FORÇATS

Sans terre, sans droits et… aujourd'hui sans papiers. Bientôt, les Rohinghyas ne seront plus qu'un peuple fantôme au Myanmar (ex-Birmanie) ! Depuis vingt ans, cette communauté subit une oppression permanente de la part de l'armée birmane. Rackettés, expulsés, les Rohinghyas ont dû céder la majorité de leurs terres de l'Arakan, à la frontière du Bangladesh, au profit de colons venus du centre du pays et des militaires eux-mêmes. Le peu de terres qu'il leur reste suffirait à peine à les nourrir… s'ils avaient le temps de les cultiver ! En effet, dès qu'ils le peuvent,

ANDY WONG/AP/SIPA

Privés par les autorités birmanes de leur nationalité et de tout droit civique, des Rohinghyas manifestent pour retrouver leur statut et leurs biens.

notamment au mois de février, au moment des récoltes, les militaires les recrutent pour « le travail communautaire non rémunéré ». En réalité, il s'agit de travaux forcés, imposés à l'ensemble des minorités birmanes. Par ce biais, le pays s'est doté de routes, d'un aéroport international et même d'une ligne de chemin de fer surnommée « le train de la mort » par ces ouvriers prétendument « bénévoles ». Aujourd'hui, cette pratique esclavagiste est officiellement interdite, mais la loi reste sans effets. L'armée continue d'enrôler de force les hommes, les femmes et même les enfants, dès l'âge de 9 ans, notamment pour porter le matériel militaire lors des déplacements. Ni payés ni nourris, ceux qui se rebellent sont abattus froidement. Comme si cela ne suffisait pas, les autorités ont décidé, il y a quelques mois, de retirer aux Rohinghyas la nationalité birmane. Privés de biens et de tout droit civique en Birmanie, rejetés par le Bangladesh voisin où ils n'ont d'ailleurs aucune attache, ils sont désormais réfugiés dans un no man's land à la frontière des deux pays, et survivent à grand-peine grâce aux aides distribuées par les associations humanitaires.

à la consommation, tuant les poissons et les sagoutiers, ces palmiers dont la pulpe constitue leur principale source de nourriture. Que reçoivent les Papous en échange de ces préjudices ? Pas grand-chose… Tout au plus peuvent-ils espérer un emploi de manœuvre ou de chauffeur payé un salaire de misère. Et ce, alors que les bénéfices de la mine s'élèvent à plus de 1 million de dollars par jour ! Protester contre ces injustices ? Les Papous n'ont pas intérêt ! Aujourd'hui, près de 6000 soldats (en partie payés par Freeport) ont été mobilisés pour « protéger » la mine. Or, depuis que la Papouasie a été rattachée de force à l'Indonésie en 1969, l'armée, sous prétexte de se défendre contre des « terroristes indépendantistes » (armés tout au plus d'arcs et de flèches), emprisonne à tour de bras. Elsham, une organisation indonésienne de défense des Droits de l'homme, estime que depuis quarante ans, près de 100000 Papous sont morts, victimes directes ou indirectes des violences de l'armée !

# LES OGONIS PAYENT LE PRIX DE L'OR NOIR

Jadis, le delta du fleuve Niger, au Nigeria, avec ses terres fertiles propices à l'agriculture, ses rivières et ses lagons poissonneux, ses forêts et ses mangroves, était une sorte de petit paradis terrestre pour les Ogonis. Aujourd'hui, après un demi-siècle d'exploitation pétrolière intensive (le sous-sol renferme le plus important gisement d'Afrique), c'est devenu un véritable enfer ! Les gigantesques puits de forage vomissent des surplus d'or noir dans les rivières et les champs. Et des kilomètres de pipelines, souvent mal entretenus et qui fuient, passent en plein cœur des villages indigènes. Les rejets de pétrole ont complètement ruiné l'agriculture, la pêche, contaminé l'eau de boisson et dévasté les mangroves. Le long des routes, des éruptions de gaz naturel brûlent en permanence et les détonations sont récurrentes. Aujourd'hui, les Ogonis, qui ne retirent aucun profit de l'exploitation de leur sous-sol, n'ont plus aucun moyen d'assurer leur existence. Ils sont parmi les Africains les plus pauvres alors que leur pays est la première puissance pétrolière du continent ! En 1993, pour protester contre l'exploitation sauvage

Ci-dessus, des enfants jouent sur les pipelines qui traversent le territoire ogoni. Les installations pétrolières étant vétustes, les feux (ci-contre) et les fuites de pétrole sont fréquents. Avec des conséquences désastreuses pour l'environnement...

# LES BUSHMEN, CONTRE LES DIAMANTS DU KALAHARI

Habitants du désert de Kalahari, les Bushmen en ont été expulsés ces dernières années par le gouvernement botswanais. Le motif : ces chasseurs traditionnels menaceraient les animaux de la région. En fait, la réserve abriterait des gisements de diamants...

Depuis quelques mois, il ne reste plus un seul Bushmen Gana ou Gwi sur les quelque 1 500 qui vivaient dans la réserve du Kalahari central. Ce lieu pourtant créé pour les protéger, eux et l'environnement dont ils dépendent, a été complètement vidé de ses habitants par le gouvernement bostwanais ! Entre 1997 et 1998, plus d'un tiers de la population a été déplacée de force. Les maisons ont été rasées au bulldozer et les habitants embarqués dans des camions pour être relogés loin de leur terre natale, dans des camps misérables où, désœuvrés, ils survivent des aides ridicules allouées par le gouvernement. En 1999, grâce à l'intense mobilisation des associations

de leurs terres, ils ont organisé une grande manifestation pacifiste obligeant les compagnies pétrolières à suspendre leur production. Du moins pour un temps. Car la révolte a été réprimée dans le sang (selon l'association Survival, sur 300000 manifestants plus de 2000 personnes auraient été tuées par l'armée). Depuis, rien n'a changé, l'exploitation des réserves d'or noir se poursuit sans contrepartie. En 2001, suite à la rupture d'une tête de puits de forage, le village de Yaata a même été arrosé sans discontinuer d'un jet de pétrole brut de plus de 100 m de haut ! Et les équipes de la compagnie pétrolière concernée ont mis plus de neuf jours à réagir...

qui défendent ces Bushmen, le gouvernement a dû cesser sa politique d'expulsion. Mais il a continué de harceler ceux restés dans la réserve, en réduisant de manière drastique leur activité de chasse, essentielle à leur survie, sous prétexte qu'ils menaçaient les animaux de la région. Beaucoup ont même été emprisonnés et maltraités parce qu'ils dépassaient les quotas... Si bien qu'en 2002 une centaine de Bushmen seulement vivaient encore dans la réserve. Pour en venir à bout, le gouvernement a alors démonté la pompe de l'unique puits qui les approvisionnait en eau ! Dans le Kalahari central, pourtant, aucun animal n'est en voie d'extinction. Et ailleurs dans la région, le gouvernement encourage même la chasse sportive de luxe pour les touristes ! De l'avis de différentes organisations, dont l'association pour la défense des droits des peuples indigènes Survival, si les autorités veulent éloigner les Bushmen, c'est parce que la réserve renfermerait d'énormes gisements de diamants. Une hypothèse encore démentie par le gouvernement.

# LES ROMS DE BULGARIE : EXCLUS !

Sans territoire, sans attaches, les Roms (Tsiganes) sont traditionnellement nomades. Venus d'Inde au X$^e$ s., ils se sont dispersés dans toute l'Europe où ils sont aujourd'hui plus de 12 millions... Vus comme les étrangers de passages, ceux dont on se méfie, ils sont presque toujours rejetés. Mais c'est en Europe de l'Est, là où ils sont le plus nombreux, que leur situation est la plus dramatique. Victimes de discriminations et de violences raciales, complètement marginalisés, ils vivent souvent « parqués » dans des quartiers surpeuplés et isolés des villes. À Sliven, en Bulgarie, ils sont près de 20000 concentrés dans le quartier de Nadezhda. Dans ce ghetto, séparé par un mur du reste de la ville, les maisons en boue et en torchis ne possèdent souvent ni porte, ni fenêtres, ni meubles. L'eau et l'électricité sont souvent coupées, le chauffage manque l'hiver et le ramassage des ordures n'est pas systématique. Malnutrition, maladies pulmonaires, sida, la situation sanitaire est catastrophique... et le quartier n'héberge que deux médecins ! Le chômage, qui touche particulièrement les jeunes, atteint des taux de 60%. Certes il y a beaucoup de discrimination raciale à l'embauche,

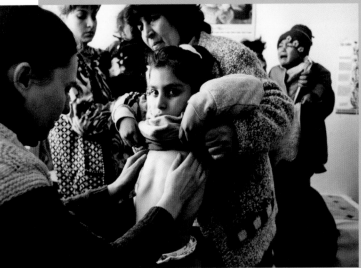

**Consultation pédiatrique dans un dispensaire, dans le quartier de Nadezhda, à Sliven, en Bulgarie. Un ghetto rom où 20 000 personnes vivent séparées du reste de la ville !**

mais les jeunes Roms souffrent aussi d'un manque de qualification. Un bon tiers d'entre eux arrêtent l'école avant la fin du primaire. De plus, beaucoup d'enfants sont scolarisés dans des centres pour handicapés, souvent sans qu'il y ait de raisons médicales, mais parce que leur famille est sûre que là ils seront nourris et recevront des vêtements... Aujourd'hui, les Roms ont un niveau de vie plus proche de celui d'un pays d'Afrique sub-saharienne que d'un pays européen. Leur seul espoir : l'entrée prochaine de leur pays dans l'Union européenne. Tant que les Roms n'auront pas une vie un peu plus décente, sa candidature ne devrait pas être acceptée...

Ces Indiens awas qui vivent en Amazonie de l'est sont des survivants : autrefois nombreux, ils ne sont plus que 350 aujourd'hui.

J.P. DUTUILLEUH/GAMMA

# LES AWAS, TERRÉS DANS LA JUNGLE

Jusqu'au XVIIIe s., des dizaines de milliers d'Awas cultivaient de vastes territoires dans l'Est amazonien. Mais après l'arrivée des premiers colons dans ces régions reculées du Brésil, il y a deux cents ans, ils ont dû fuir les massacres et les maladies contre lesquelles ils n'avaient aucune protection et sont alors devenus nomades. Aujourd'hui, ils ne sont plus que 350, dont une centaine isolés dans la forêt. Ils vivent encore de chasse et de cueillette et déplacent leur campement en permanence, évitant tout contact avec les Brésiliens.

Car la menace est toujours là ! Dans les années 70, le gouvernement a lancé dans la région un gigantesque projet d'exploitation minière avec construction de barrages, de chemins de fer et de routes, qui a dévasté la forêt et amené dans son sillage des milliers de colons. Souvent pauvres, certains n'ont pas hésité à massacrer les Indiens qui vivaient là, pour obtenir un lopin de terre. En 1979, par exemple, sept Awas ont été empoisonnés par de l'insecticide mêlé à de la farine offerte par des éleveurs. Aujourd'hui encore, la violence et les mauvais traitements continuent. Et ce d'autant plus que les coupables sont rarement punis ! En effet, personne n'est là pour contrôler ce qui se passe dans l'immense jungle amazonienne, et les Indiens qui, au Brésil, n'ont aucun droit sur leur territoire, ne sont pas toujours suffisamment organisés pour pouvoir se défendre. En 1982, sous la pression de l'opinion publique, la Banque mondiale, qui finance en partie le projet, a demandé au Brésil de protéger les Awas en créant des réserves. C'est désormais chose faite… mais seulement depuis mars 2003.

La forêt amazonienne, milieu naturel des Awas, est peu à peu dévastée, notamment par les colons qui, souvent, l'incendient avant de s'installer.

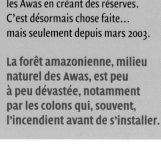

# LES RÉSERVES INDIENNES, DÉPOTOIRS DES ÉTATS-UNIS

Victoire ! Après quatre années de lutte acharnée, les Sioux Lakotas de la réserve de Rosebud (Dakota du Sud) ont réussi à stopper l'expansion de la gigantesque porcherie qui s'était implantée sur leur territoire ! Cet élevage de porcs en batterie accueille aujourd'hui près de 200000 porcs dont le fumier, épandu à même le sol, menace déjà de contaminer les nappes phréatiques de la région. Mais les Lakotas ont évité le pire : en effet, l'établissement, destiné à devenir le plus grand élevage de porcs en batterie du monde, prévoyait d'accueillir à terme plus de 800000 animaux par an, qui à eux seuls auraient produit deux fois plus de déjections que l'ensemble de la population de l'État du Dakota du Sud ! Ce projet, hélas, n'est pas le seul à menacer l'environnement des réserves indiennes aux États-Unis. De nombreuses sociétés de traitement de déchets lorgnent sur les réserves pour y enfouir les détritus, déchets toxiques ou même radioactifs que les autres Américains refusent dans leur voisinage. En effet, dans nombre de ces réserves règnent une misère et un désœuvrement extrêmes. Et les entrepreneurs en profitent : ils font miroiter emplois et profits aux conseils tribaux (l'instance indienne qui a les pleins pouvoirs pour gouverner une réserve), en espérant que les Indiens, eux, ne pourront pas se payer le luxe de refuser.

Les Lakotas (ici en tenue de fête lors d'un *pow wow*) ont échappé au pire : une porcherie géante de 800000 têtes ! L'élevage n'accueillera finalement « que » 200000 porcs. Ce qui fait déjà pas mal de fumier...

MARK PETERSON/SABA-REA

# LES GUARANIS, POUSSÉS AU DÉSESPOIR

RICARDO AZOURY/CORBIS

Trois cent quatre, c'est le nombre d'Indiens Guaranis qui se sont suicidés entre 1986 et 1999. La plus jeune, Luciane Ortiz, avait seulement 9 ans... Ces Indiens du Mato Grosso, qui sont environ 30000, représentent le plus grand groupe indigène du Brésil. Eux qui vivaient essentiellement de pêche, de chasse et de cueillette, ont été, tout comme les Awas, petit à petit dépossédés de la majorité de leurs terres. Une spoliation orchestrée en partie par la Funai (Fondation nationale de l'Indien), une agence gouvernementale pourtant chargée de protéger les populations indigènes ! À sa création, en effet, dans les années 70, et alors qu'elle était dirigée par des fonctionnaires anti-Indiens et corrompus, elle a cédé le bois de l'ancienne forêt dense du Mato Grosso à des exploitants forestiers ! Depuis, les anciens territoires indiens, déboisés, sont devenus la propriété de riches exploitants et hébergent de vastes fermes d'élevages, des champs de soja et de canne à sucre. Aujourd'hui, les Guaranis vivent sur de minuscules parcelles, trop petites, dans des communautés surpeuplées où règnent les épidémies et la violence. Pour survivre, beaucoup sont contraints d'aller travailler chez des fermiers qui les payent une misère. Lassés d'attendre que les autorités leur restituent leurs terres, certains y sont retournés de leur propre initiative. Mais ils en ont été bien vite chassés par des soldats lourdement armés. ●

Dépossédés dans les années 70 de leurs terres, au profit d'exploitants forestiers puis agricoles, les Guaranis s'entassent désormais sur de toutes petites parcelles.

Remerciements à Mireille Boisson, d'Amnesty International ; Virginia Luling, de Survival International ; Stéphane Breton, de l'EHESS ; Manuel Valentin, du musée de l'Homme.

**POUR EN SAVOIR PLUS**
http://www.survival-international.org/fr

# LE MASSACRE DES REQUINS

Il fascine, il fait peur, mais suscite rarement la compassion.
Pourtant le requin, aussi féroce soit-il, est en péril. À qui la faute ?
À une soupe aux ailerons dont on se régale dans certains
restaurants asiatiques. Et aux pêcheurs sans scrupules
qui le mutilent pour en tirer profit.

PAR PIERRE SAHUC

# CRUAUTÉ

Pour piéger les requins, rien de tel qu'une palangre : une ligne immergée qui mesure parfois plusieurs kilomètres de long et porte d'énormes hameçons.

Sur le pont du chalutier, un requin-mako, profilé comme une torpille, se débat avec l'énergie du désespoir. Encore accroché à l'hameçon qui l'a arraché des profondeurs marines, il se tord et se contorsionne, sa queue balayant tout sur son passage. Mais pour le squale, il est déjà trop tard. Les marins s'avancent vers lui, et tandis que plusieurs d'entre eux le plaquent au sol, son bourreau s'approche, armé d'une scie bien aiguisée. Un à un, il découpe les ailerons profilés de l'animal encore vivant. Sous l'effet de la douleur, il se démène de plus belle. Les hommes ont de plus en plus de mal à maintenir ce corps effilé, long de 3 m, nerveux et tout en muscles. Mais la triste besogne est bientôt achevée, et pour ne pas encombrer les cales du bateau, les hommes rejettent le requin à la mer. Son arrêt de mort est signé : si l'hémorragie ne le tue pas rapidement, privé de ses précieuses nageoires il ne pourra de toute façon plus nager, et mourra de faim. Déjà, l'équipage du chalutier a repris son travail : ils enroulent sur le pont une gigantesque ligne constellée de milliers d'hameçons, la palangre. Pouvant atteindre plusieurs kilomètres de long, elle porte, dans sa partie immergée, les futures victimes de cette sinistre activité...

## DÉPECÉS VIFS

Nous sommes au large de l'Indonésie, dans l'océan Indien, sur la façade atlantique de l'Afrique, mais aussi au large des côtes pacifiques de l'Amérique du Sud et en Méditerranée, bref partout où il y a des requins. Et ces hommes qui mutilent les squales pratiquent une pêche d'un genre particulier que les Anglo-Saxons appellent « finning » (de fin, qui dans la langue de Shakespeare signifie « aileron »). Cette pêche alimente un fructueux commerce aux quatre coins de la planète : celui de la soupe aux ailerons de requins dont sont friandes les populations asiatiques, de la Chine au Japon, mais aussi à Vancouver ou à Paris. Très délicate, elle est un peu, chez eux, l'équivalent de notre foie gras. Servie pour les grandes occasions, mariages ou banquets, elle ravit les papilles, en même temps qu'elle est une marque de richesse et de prestige pour celui qui en fait servir à sa table.

Mais prestige et raffinement ont un prix, et le bol de soupe atteint des tarifs farami-

Environ 100 millions de squales sont pêchés chaque année dans toutes les mers du monde.

Au fond du Pacifique, au large de l'Amérique Centrale, des squales mutilés. Privés de leurs ailerons, ils sont morts d'hémorragie ou, ne pouvant plus nager, de faim.

neux : jusqu'à une centaine d'euros, selon le type d'aileron ayant servi à la préparation (plus les ailerons sont grands, plus la soupe est chère). C'est une conséquence de l'essor de l'économie asiatique : au cours des décennies précédentes, ces pays s'enrichissant, la demande en ailerons a explosé, provoquant l'augmentation du prix du kilo qui, aujourd'hui, peut atteindre 200 € ! Pour certaines espèces dont les ailerons sont particulièrement grands (comme le requin-pèlerin ou le requin-baleine), on a même vu des ailerons vendus jusqu'à 15 000 € pièce ! Devant de telles promesses de bénéfices, l'industrie de la pêche n'a fait ni une ni deux et s'est précipitée sur l'aubaine. Aujourd'hui, ce sont environ 100 millions de squales qui sont pêchés chaque année.

En réalité, tous ne sont pas tués pour leurs ailerons. Car le requin, c'est un peu comme le cochon, tout y est bon : l'huile de son foie est utilisée en pharmacie grâce à sa teneur en vitamine A ; on en tire aussi le squalène, qui entre dans la composition de crèmes solaires ; sa peau fait un cuir de très bonne qualité ; sa chair, bon marché, est riche en protéines... Et c'est aussi en cela que la pratique du *finning* est scandaleuse : l'aileron étant la partie la plus rentable de l'animal, les pêcheurs préfèrent ne pas s'encombrer du reste de la bête qui leur rapporterait peu. C'est autant de place gagnée sur le navire pour en stocker plus. Mais quel gâchis ! Les ailerons ne représentent que 5 % de la masse d'un requin. Lorsque les pêcheurs se débarrassent des carcasses, ils gaspillent ainsi de la viande et de précieuses ressources.

# ATTENTION ! ESPÈCES FRAGILES

Plus grave encore : en raison de cette surexploitation, la survie du requin est menacée. Il pâtit non seulement de la convoitise humaine, mais aussi d'un renouvellement de population très lent. En effet, le requin arrive tardivement à maturité sexuelle (après plusieurs années, voire plusieurs dizaines d'années pour certaines espèces), sa femelle a un temps de gestation très long (jusqu'à vingt-deux mois pour la femelle de l'aiguillat commun), et elle ne donne naissance qu'à un petit nombre de requins en une fois. De sorte que lorsqu'on prélève beaucoup d'individus sur une courte période, comme actuellement,

**Vue plongeante sur un effroyable gaspillage. Sur les bateaux de pêche où l'on pratique le « finning », on ne s'embarrasse pas des carcasses de requins. Même si le corps entier de la bête est plein de ressources, aucune n'est aussi rentable que les ailerons, qu'on amasse donc sur le pont, balançant le reste à la mer...**

# La génétique au secours des squales

À leur seule vue, il est impossible de dire à quel type de requins appartiennent les ailerons qui arrivent au port, en vrac, dans les soutes des chalutiers. Or, pour les défenseurs des requins, le comptage des différentes espèces pêchées est indispensable. Ils peuvent ainsi, lors des négociations avec les industriels pêcheurs ou les États, proposer des quotas qui garantissent la survie d'une espèce, tout en autorisant le commerce. Des chercheurs américains ont donc mis au point un procédé qui tombe à pic : un test qui permet de dire, à partir d'échantillons pris sur les étals des marchés, s'ils appartiennent à telle ou telle espèce. Le système se fonde sur la reconnaissance de l'ADN : une séquence, extraite de l'échantillon, est comparée à une séquence de référence. Actuellement, le procédé est capable de reconnaître six espèces de requins (requin bleu, requin-mako et requin-mako à nageoires courtes, requin soyeux, requin sombre et requin-taupe). Mais dans un proche avenir, les chercheurs devraient être en mesure d'identifier la totalité des 35 espèces les plus répandues sur les étals. Mieux encore, leurs travaux devraient même leur permettre de dire d'où proviennent les spécimens pêchés. On pourra alors savoir si tel requin-taureau vendu sur un marché a été pêché légalement en Asie ou illégalement dans les eaux territoriales des États-Unis.

l'espèce n'a pas le temps de se renouveler : elle décline. Certains spécialistes s'accordent à dire que les effectifs de requins auraient baissé de 80% au cours des dix dernières années !

Et la situation ne va pas en s'arrangeant. Les dernières statistiques publiées par la FAO (Food and Agriculture Organization, Organisation pour l'alimentation et l'agriculture) montrent que le volume de pêche aux requins augmente : de 693001 t de prises en 1990, on est passé à 828364 t en 2000 soit une augmentation de 20%. Des chiffres qui seraient sous-évalués : selon Bernard Seret, grand spécialiste du requin et chercheur à l'IRD (Institut de recherche pour le développement), ils ne prendraient en compte ni les pêches traditionnelles ou

Il existe 14 variétés commerciales d'ailerons de requins, dont les plus gros sont les plus chers. En moyenne, ils sont vendus 200 € le kilo, mais les prix se sont envolés jusqu'à 15000 € la pièce ! Pour les squales, comme au restaurant, la note est salée.

Une fois ramenés à terre, les ailerons sont mis à sécher : c'est un bon moyen de les conserver. Ils sont ensuite vendus sur les marchés comme ingrédient de choix pour la soupe.

artisanales ni les tonnes de carcasses rejetées à la mer par le *finning*. La quantité réelle de requins pêchés chaque année se situerait alors aux alentours de 1,5 million de tonnes !

Heureusement, des mesures de protection des squales commencent à voir le jour. Depuis mars 2001, les États-Unis ont adopté une loi qui interdit la pratique du *finning* dans leurs eaux territoriales pour les pêcheurs de toute nationalité, ainsi que sur toutes les mers du globe pour les pêcheurs américains. En Europe, une législation du même type est en cours d'adoption.

Autre bonne nouvelle : depuis novembre dernier, le commerce du requin-pèlerin et du requin-baleine (les deux plus grands requins, respectivement de 10 m et 15 m de long) est strictement réglementé. Cent quarante-cinq pays se sont mis d'accord sur ce point dans le cadre de la CITES (Convention sur le commerce international des espèces de faune et de flore sauvage menacées d'extinction). L'initiative devrait permettre aux populations de ces deux espèces de se régénérer.

## PROTÉGER LES DENTS DE LA MER

Mais la plus grosse difficulté reste de faire appliquer ces mesures. En effet, si un certain nombre de pays ont eux-mêmes voté des lois qu'ils se chargent de faire respecter par leur propre police, la situation n'est pas si simple au niveau international. Chacun des pays est libre d'appliquer ou non les directives. Or, adoptées à la majorité, elles ne sont pas toujours du goût de tous. Parfois les États signataires n'ont tout bonnement pas les moyens de faire respecter les dispositions. C'est le cas, par exemple, des îles Seychelles, qui n'ont pas d'argent pour faire la chasse aux braconniers sur leurs vastes eaux territoriales.

Reste une méthode alternative à la contrainte : la persuasion. Ainsi, de Singapour à la Malaisie, des associations ont abordé le problème sous un angle différent : elles cherchent à décourager les gens de manger de la soupe aux ailerons de requins. Ainsi, pensent-elles, en éliminant la demande, on supprimera la pêche. Toutes sortes d'interventions ont donc été imaginées pour parvenir à cette fin : des manuels scolaires pour apprendre l'anglais mettant en exergue la conservation de la faune marine ; des lettres d'information à l'intention des futurs mariés leur enjoignant de ne pas servir la fameuse soupe lors de leur mariage... D'autres sont allés encore plus loin dans la lutte contre cette tradition : Juliana Khoo et Lester Kwok, un couple de plongeurs diplômés de Singapour, se sont passés la bague au doigt dans un aquarium rempli de requins en signe de protestation. ●

DOUG PERRINE / SUNSET

En boîte ou fraîchement préparée, la soupe aux ailerons de requin est un mets de luxe : il faut compter de 15 € à 100 € le bol, selon la qualité des ailerons utilisés.

DÉCRYPTER

## PALÉONTOLOGIE

# LA GRANDE
# LA

**Comment, il y a plusieurs milliards d'années, la vie s'est développée dans les océans puis a colonisé la terre ferme. Une aventure extraordinaire peuplée des bestioles les plus invraisemblables. Embarquez pour un voyage dans les profondeurs du temps.**

DOSSIER RÉALISÉ PAR ANNE BALLEYDIER

Chengjiang, sud de la Chine, il y a 535 millions d'années. La mer y est peuplée de drôles de bestioles : des méduses, des éponges, des anémones de mer, mais aussi des vers à pattes, des trilobites, et toutes sortes d'animaux à corps articulé et à carapace comme l'*Anomalocaris*.

# ÉPOPÉE DE VIE

1. *Anomalocaris* (ancêtre des crustacés)
2. *Xandarella* (ancêtre des insectes)
3. *Cindarella* (ancêtre des insectes)
4. *Cambrorhythium* (ancêtre des anémones de mer)
5. Poisson de Haïkou (ancêtre de tous les vertébrés)
6. *Xianguangia* (ancêtre des anémones de mer)
7. *Jianfengia* (ancêtre des insectes)
8. *Hallucigenia* (ancêtre des péripates)
9. *Facivermis* (vers)
10. *Retifacies* (trilobites)
11. Éponges
12. *Saperion* (bête énigmatique)
13. *Sinoascus* (cousine des méduses)

# CHENGJIANG
# –535 millions d'années

# L'ÉTRANGE BESTIAIRE DES ORIGINES

**Opabinia** est l'un des animaux les plus bizarres apparus au cambrien. Affublée de cinq yeux, cette créature aux allures de crustacé devait nager comme une raie. Sa trompe lui servait à farfouiller dans le sable à la recherche de vers.

Sur la Terre ferme, la roche était à nu. Pas le moindre brin d'herbe. Ni âme qui vive. Mais il y a 535 millions d'années, les mers peu profondes couvrant l'actuel sud de la Chine, elles, grouillaient de vie. Non loin de la petite ville qui porte aujourd'hui le nom de Chengjiang, on trouvait naguère des algues rouges, vertes, brunes, et toutes sortes d'animaux, des plus étranges aux plus familiers. Des bêtes dont la taille allait du centimètre au mètre, et possédant coquille, carapace, plaques calcaires ou piquants...

Pour les paléontologues, ces bêtes-là marquent un véritable tournant. Dans leurs archives, les êtres vivants deviennent enfin décelables à l'œil nu, grâce aux restes de leurs parties dures. Car jusqu'à cette époque dite « cambrienne », ils ne laissaient au mieux que des traces ou des empreintes. Pour-

quoi ? D'abord parce que leur corps était mou, et qu'en règle générale les « charognards » n'en faisaient qu'une bouchée : ils n'imprimaient donc leur marque que s'ils étaient rapidement ensevelis dans le fond des océans. Ensuite, parce que durant des lustres, ils étaient de taille microscopique. Pour les dénicher, il fallait donc vraiment les chercher.

Les plus vieux datent de 3500 Ma (millions d'années). Leur taille ne dépassait pas quelques millionièmes de mètre ! On les a trouvés dans le nord-ouest de l'Australie, à Warrawoona, grâce aux « immeubles » calcaires qu'ils avaient construits. Ces édifices ressemblaient en effet comme

deux gouttes d'eau à ceux que fabriquent aujourd'hui des bactéries vivant un peu plus au sud, à Shark Bay. Les chercheurs ont donc fait le rapprochement. En examinant à la loupe les gros cailloux de Warrawoona, ils ont alors repéré les traces laissées par des bactéries ancestrales.

## L'OXYGÈNE, UN POISON

Comme leurs cousines d'aujourd'hui, elles devaient vivre en utilisant l'énergie solaire, le dioxyde de carbone ($CO_2$) et l'eau de mer pour produire leur nourriture. L'atmosphère d'alors était chaude, saturée de $CO_2$ et pauvre en oxygène ($O_2$), molécule qui pour elles était un dangereux poison. Malheureusement, en fabriquant leurs sucres, elles en

**Grâce à leur carapace qui s'est fossilisée, on a retrouvé un très grand nombre de trilobites.**

**Premières bactéries**

**Premières cellules à noyau**

**Premières algues pluricellulaires**

| MILLIONS D'ANNÉES | 3500 | 2500 | 1300 |

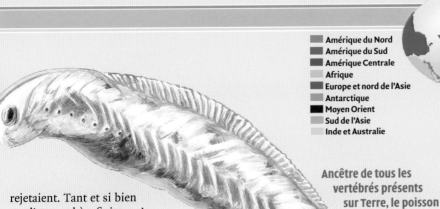

LA TERRE AU CAMBRIEN
(−530 millions d'années)

Chengjiang

Amérique du Nord
Amérique du Sud
Amérique Centrale
Afrique
Europe et nord de l'Asie
Antarctique
Moyen Orient
Sud de l'Asie
Inde et Australie

CARTES : DOMINIQUE GALLAND, D'APRÈS
LE LIVRE DE LA VIE, DE STEPHEN JAY GOULD

**Ancêtre de tous les vertébrés présents sur Terre, le poisson de Haïkou est apparu il y a 535 millions d'années.**

rejetaient. Tant et si bien que l'atmosphère finit par s'enrichir en O₂. Au bout de 1000 Ma, son taux dans l'air était si élevé que le fer se mit à « rouiller », laissant à la postérité tout un tas de roches rouges !

La plupart des bactéries ont alors dû se réfugier là où l'oxygène était rare, comme celles qui vivent aujourd'hui près de sources sulfuriques sous-marines. Avec le temps, toutefois, certaines ont appris à supporter l'O₂. Mieux, elles l'ont utilisé comme combustible pour digérer et assimiler leur nourriture : les cadavres des autres microbes. Quelques-unes, enfin, ont choisi de vivre en parasites, dans les bactéries qu'elles dévoraient de l'intérieur. Elles ont fini par faire bon ménage avec leurs hôtes en se contentant de manger leurs déchets : leur association a alors engendré, 2500 Ma en arrière, des cellules plus grosses dont on a découvert des traces chimiques en anlysant le sous-sol d'Australie. Ces cellules avaient désormais un noyau et des tas de petites vésicules — les vestiges des bactéries parasites — qui leur servaient à produire ou à brûler de la nourriture. Elles seront à l'origine d'une grande invention : la reproduction sexuelle.

Jusqu'alors, en effet, les bactéries devaient se perpétuer seules, comme leurs descendantes. Le fin filament qui portait leurs gènes était d'abord dupliqué, puis la cellule se coupait en deux : cela donnait deux clones parfaitement identiques, qui à leur tour pouvaient chacun former deux clones, etc. Au final, à quelques mutations près, il n'y avait ainsi que des bactéries identiques : si la nourriture manquait, si la température

**En voici un qui n'est pas piqué des vers ! *Hallucigenia*, qui porte bien son nom, avait développé des épines sans doute pour se défendre des premiers prédateurs.**

chutait au-delà de ce qu'elles étaient capables de supporter, elles y passaient toutes. Mais les cellules à noyau changèrent la donne. En fabriquant des cellules qui ne portaient qu'une partie de leurs gènes : les cellules sexuelles. Dans chacun des rejetons nés de leur union, les gènes se combinaient donc de façon différente. Résultat : une progéniture variée où se trouvait toujours, en cas de pépin, une cellule capable de s'en sortir !

## PREMIÈRES BÊTES À CARAPACE

La coopération marqua l'étape suivante. Depuis le début, les êtres vivants avaient pris l'habitude de se regrouper : les bactéries de Warrawoona formaient ainsi de

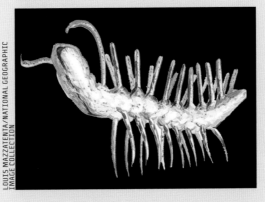

LOUIS MAZZATENTA/NATIONAL GEOGRAPHIC
IMAGE COLLECTION

longs filaments. Mais pendant très longtemps, leur association n'avait impliqué aucun partage des tâches : chacune se débrouillait seule pour se nourrir ou se multiplier. Ce partage apparaît dans les archives géologiques autour de −1300 Ma. Des empreintes d'algues vertes découvertes en Chine montrent que certaines cellules assuraient la flottaison, d'autres étaient en charge de la reproduction, etc. Puis surgirent les premiers animaux pluricellulaires : d'abord dans trois sites de Chine, entre −660 et −570 Ma, avec des traces de vers, d'embryons d'oursins et de coraux ; ensuite en Australie, au Canada, en Afrique et en Russie vers −560 Ma, avec les empreintes laissées par des éponges, des méduses et une kyrielle de bêtes énigmatiques à corps mou.

Ces bêtes-là étaient déjà de taille respectable : des dizaines de centimètres. Mais elles n'avaient pas de parties dures et possédaient souvent une forme aplatie. Pourquoi ? Il y a plusieurs hypothèses. L'une d'elles tourne autour de l'oxygène. Tant que son taux est faible, toutes les cellules du corps doivent en respirer. Et dans ce cas, il est impossible d'empiler les couches : en profondeur, les cellules risquent l'asphyxie. En revanche dès que son taux grimpe, il y en a assez pour que seules certaines cellules se spécialisent dans son stockage et sa distribution dans l'organisme tout entier. Les autres cellules peuvent ainsi se consacrer à d'autres tâches, notamment à la maçonnerie, en fabriquant un squelette externe.

En vérité, personne ne sait comment on est passé, en moins de 30 Ma, des animaux mous aux bestioles à carapace de Chengjiang. D'autant qu'on y trouve presque tous les groupes d'animaux actuels : des éponges, des méduses, des vers et pléthore d'arthropodes (comme les trilobites), ancêtres des insectes et crustacés. On y reconnaît même un véritable vertébré. Un petit animal avec une tige articulée en guise de colonne vertébrale : le poisson de Haïkou.

**Premiers animaux pluricellulaires**

**Premiers animaux à épines, coquillles et carapaces**

**660**

**535**

# GRISET
# –370 Ma

1. *Cocosteus* (placoderme)
2. *Gyroptichius* (poisson osseux lobé)
3. *Chirodipterus* (poisson osseux à poumons)
4. *Moythomasia* (poisson osseux type sardine)
5. *Asterolepis* (placoderme)
6. *Onychodus* (poisson osseux type sardine)
7. *Holonema* (placoderme)
8. *Rhynchodus* (placoderme)
9. *Acanthodes* (requin épineux)

ILLUSTRATION : MICHAEL MAZURE

Ferques, carrière du Griset, Pas-de-Calais, il y a 370 millions d'années. Les récifs de coraux fournissent le gîte et le couvert à de nombreux poissons. Certains ont le corps recouvert de plaques, d'autres de longues épines prolongeant leurs nageoires. Mais les plus évolués d'entre eux ont déjà l'allure de nos sardines actuelles.

# LE RÈGNE DES POISSONS

Ce n'était peut-être qu'un minus de 4 à 5 cm de long, mais c'était notre ancêtre ! L'aïeul de tous les vertébrés : les poissons, les amphibiens, les reptiles, les oiseaux et les mammifères dont nous faisons partie. Comme nous, le poisson de Haïkou avait un crâne protégeant son cerveau, des yeux et d'autres organes des sens, mais aussi une longue tige articulée servant de support à ses muscles en zigzag. Il lui manquait en revanche des mâchoires, comme à la lamproie actuelle. Le temps a eu raison du poisson de Haïkou. Car pour des raisons inconnues, la plupart des animaux vivant comme lui au cambrien se sont éteints. Cinq épisodes d'extinctions importantes laissent ainsi, dans des roches datées de −535 à −500 Ma, des couches presque dépourvues de fossiles. Reste qu'à chacune de ces couches, a toujours succédé une autre témoignant d'une vie intense. À chaque fois, la vie a donc repris le dessus, les animaux s'adaptant aux nouvelles conditions en modifiant leur morphologie. Au poisson de Haïkou ont ainsi succédé des poissons comme lui sans mâchoire, mais avec en plus une carapace osseuse : les ostracodermes.

## UN BOUCLIER SUR LA TÊTE...

C'est en Australie qu'ont été trouvées leurs plus anciennes traces : elles sont vieilles de 470 Ma. Les carapaces de nombreuses espèces de poissons ont en effet laissé leurs empreintes dans les sables naguère recouverts par la mer. Des restes d'ostracoder-mes entiers, cette fois datés de −450 Ma, ont également été découverts en Bolivie. On y distingue clairement de grandes plaques osseuses couvrant l'avant du corps, et une multitude d'écailles en forme de baguettes jusqu'au bout de la queue. Un bouclier et une cotte de mailles qui les protégeaient certes des scorpions de mer géants et autres prédateurs. Mais qui, pesant lourd, ne facilitaient pas leurs déplacements.

Pour avancer dans l'eau, ils devaient se contenter d'une queue vaguement transformée en nageoire. Une sorte de godille grâce à laquelle ils se déplaçaient assez vite. Mais qui ne suffisait pas à compenser le handicap de leur poids. Ces poissons étaient donc contraints de vivre près des fonds. Et là, n'ayant pas de mâchoires, ils ne pouvaient que filtrer les petits organismes présents dans l'eau qu'ils aspiraient par la bouche. D'autres espèces triaient le contenu de la vase dans laquelle elles s'étaient enfouies. On a en effet retrouvé cette boue antédiluvienne dans l'estomac de certains ostracodermes fossiles du nord-ouest du Canada.

À leurs côtés, apparaissent, vers −430 Ma, des poissons plus gros et mieux armés pour partir à la chasse. Avec des mâchoires pour râper, couper ou broyer leurs proies. Mais aussi des nageoires paires qui les aidaient à changer facilement de direction et donc à traquer plus efficacement d'autres poissons. Certains portaient, comme leurs prédécesseurs, d'épaisses plaques (d'où leur nom de « placodermes »). D'autres

Le rostre garni d'épines de *Doryaspis*, un ostracoderme, lui servait probablement à fouiller la vase pour dénicher crustacés et petits vers qu'il avalait tout rond faute de mâchoire pour les broyer.

MARK WILSON/UNIVERSITY OF ALBERTA

*Dinaspidella elizabethae* est aussi un ostracoderme. Sur l'empreinte fossilisée de son corps, on distingue le bouclier osseux qui lui recouvrait la tête et le protégeait des prédateurs.

Premier vertébré : poisson de Haïkou

Premiers ostracodermes

Premiers placodermes et requins épineux

MILLIONS D'ANNÉES

**535**

**470**

**430**

Les poissons placodermes, comme *Dunklosteus*, possédaient de vraies mâchoires mais de fausses dents ! En réalité des plaques osseuses qui étaient tout aussi efficaces pour agripper et tuer des proies.

ILLUSTRATIONS : MICHAEL MAZURE

Mais ces nouveaux venus sur la scène aquatique ont surtout inventé de nouveaux moyens de flotter sans effort en pleine eau. Les requins en fabriquant une couche de graisse les rendant plus légers. Les poissons osseux grâce à des petits sacs formés à partir du tube digestif : en y faisant entrer ou sortir de l'air, ils contrôlaient parfaitement leur niveau de flottaison. Ces poches d'air leur ont ouvert les portes de tous les océans. Mais elles ont aussi donné aux vertébrés la possibilité d'une autre destinée. Il y a 375 Ma, certains poissons les utilisaient déjà comme poumons, pour gober en surface l'oxygène de l'air quand celui de l'eau venait à manquer. Or le squelette de leurs nageoires paires annonçait celui des pattes d'amphibiens et de reptiles : il n'y manquait que les os des chevilles et des doigts ! Tout était donc réuni pour que soit permise une grande conquête. Celle de la terre ferme...

les seconds il y a 300 Ma. Pourquoi ? Parce que dès −400 Ma, les nageoires paires se sont perfectionnées chez d'autres poissons : des requins au profil plus hydrodynamique, mais aussi des poissons d'un nouveau genre chez lesquels tous les cartilages sont remplacés par de solides os. Or ces os permettaient de mieux contrôler le mouvement des nageoires, tout en leur donnant davantage de puissance.

n'avaient gardé que des écailles et se protégeaient de leurs ennemis grâce à de longues épines (ils portent le nom de « requins épineux »). Tous ont laissé de nombreux fossiles dans le nord de la France, à Ferques (*carrière du Griset, dessin p. 74-75*), là où des eaux peu profondes abritaient des récifs de coraux il y a 370 millions d'années.

## ... ET UNE BOUÉE POUR FLOTTER

Leur équipement explique qu'ils aient supplanté leurs aînés : dans les roches vieilles de 400 Ma, on ne trouve déjà quasiment plus d'ostracodermes. Reste qu'ils ont dû, eux aussi, capituler : placodermes et requins épineux disparaissent brutalement des archives, les premiers vers −365 Ma,

**Vu la taille de son crâne, *Dunklosteus* devait mesurer dans les 10 m de long !**

J. L. AMOS/CORBIS

**Premières plantes terrestres**

**Premiers vrais requins**

420

400

1. *Meganeura*
(insecte, libellule)
2. *Arthropleura*
(mille-pattes)
3. *Branchiosaurus*
(amphibien aquatique
avec branchies externes)
4. *Expleuracanthus*
(amphibien aquatique)
5. *Dolichosoma*
(amphibien aquatique
sans pattes)
6. *Onchiodon* (amphibien
semi-aquatique,
semi-terrestre)
7. *Allobuthus* (scorpion)
8. *Ilyodes* (péripate)

ILLUSTRATION : DIDIER GRAFFET

# MONTCEAU-LES-MINES
# −300 Ma

Montceau-les-Mines, dans le massif
Central, il y a 300 millions d'années.
Autour de vastes marécages, s'étend
une forêt luxuriante. Des scorpions,
mille-pattes et insectes ont déjà accosté
depuis 120 Ma. Les vertébrés aussi ont fait
leurs premiers pas : des amphibiens
plutôt balourds condamnés
à rester près de l'eau.

## PALÉONTOLOGIE

# PREMIERS PAS HORS DE L'EAU

À demi caché par la vase, dans un lacis de branchages, se terre un drôle d'animal. Il a, comme les poissons dont il descend, une longue queue dotée d'une nageoire, des branchies et des ébauches de poumons. Il conserve même des restes d'écailles, sur la peau du ventre et de la queue. Mais en lieu et place des nageoires paires, *Acanthostega* a quatre pattes. En les utilisant sur la terre ferme, lui et ses compagnons vertébrés y ont laissé leurs empreintes. Des traces de pas découvertes dans des blocs de roches vieilles de 365 Ma, en Australie et en Écosse.

Pourquoi ces poissons à pattes sont-ils sortis de l'eau ? Personne ne le sait. Toujours est-il qu'au fil du temps, ils sont restés sur terre, où la nourriture était abondante. Car bien avant eux, des végétaux et une foule de bestioles sans vertèbres avaient pris possession du territoire. Les plantes s'étaient installées les premières. En commençant par se rapprocher des rivages, il y a 430 Ma, avec des espèces gardant les pieds dans l'eau. Elles avaient élevé leur tige vers le ciel, pour profiter pleinement du dioxyde de carbone ($CO_2$) qui était plus abondant dans l'air ; mais avaient aussi épaissi leurs parois, ce qui permettait à leur tige de tenir debout.

## LES PLANTES PRENNENT RACINE

Puis étaient venus les premiers végétaux réellement terrestres, il y a 420 Ma. Des petites plantes sans feuilles de 10 cm de haut, dont on a retrouvé les traces dans des roches écossaises. Elles s'étaient enveloppées d'un revêtement imperméable. Qui, tout en les soutenant, empêchait l'eau qu'elles contenaient d'être transformée en vapeur par la chaleur du soleil, leur permettant ainsi de ne pas mourir desséchées. Ce revêtement était toutefois percé de petits trous laissant l'air riche en $CO_2$ entrer dans la plante. Quant à l'eau, elle était pompée dans le sol par des tiges souterraines et distribuée, à l'intérieur du végétal, par un réseau de cellules spécialisées.

Avec le temps, les tiges sont devenues plus solides. Ce qui a donné aux plantes la possibilité de gagner en hauteur : dans les roches vieilles de 380 Ma, apparaissent ainsi des prêles et des fougères avec un tronc s'éle-vant jusqu'à 30 m du sol ! Plus grandes, ces plantes ont profité au maximum de la lumière nécessaire à leur croissance. D'autant que chez elles, de larges feuilles augmentaient la surface de végétal exposée au soleil. Le problème, c'est que ces immenses plantes à feuilles étaient lourdes : un gros coup de vent, et elles se retrouvaient par terre. Certaines ont donc développé des racines pour s'ancrer profondément dans le sol : on les retrouve chez un dénommé *Archeopteris*, le premier arbre véritable. Grâce à leurs graines, d'autres arbres se sont multipliés ailleurs qu'au bord des marécages. Résultat : en 100 millions d'années, ils ont couvert le globe de luxuriantes forêts.

**Les fougères du carbonifère pouvaient atteindre 30 m de haut !**

**Avec son tronc en bois, *Archeopteris* est le plus vieil arbre connu.**

**Premiers poissons osseux**

**Premiers poissons à nageoires lobées (*Panderichtys*)**

**Premières plantes géantes**

**MILLIONS D'ANNÉES** 400 390 380

Bien que pourvu de quatre pattes
comme un animal terrestre,
*Acanthostega* avait encore des
branchies pour respirer dans l'eau.

qu'au ciel : ces gros vertébrés à quatre
pattes avaient déjà bien du mal à se traîner
sur terre. Ils avaient pourtant fait de gros
progrès. En commençant, comme *Acanthostega*, par épaissir les os qui jouaient,
chez les poissons, le rôle de
charnière entre la colonne vertébrale et les nageoires. Ils
avaient ainsi acquis des épaules
et un bassin encaissant mieux les
chocs engendrés par chaque pas.
Des pas rendus possibles grâce à
« l'invention » des doigts, dans le
prolongement des os qui articulaient
les nageoires de leurs ancêtres aquatiques.
Enfin, les arêtes suspendues à leur colonne
vertébrale s'étaient transformées en côtes,
pour maintenir et protéger leurs organes
internes.

Ces forêts constituaient de vastes parasols.
Et leurs feuilles mortes rendaient la terre plus
humide. Elles offraient donc aux animaux
une protection contre le dessèchement. Mais
nombre de bestioles aquatiques n'avaient pas
attendu leur arrivée pour coloniser la terre
ferme : les empreintes de scorpions, acariens
ou araignées se mêlent à celles des plantes
sans feuilles dès –420 Ma. Les premiers
avaient encore des branchies : elles furent peu
à peu remplacées par des poches d'air sous
la peau et par des tubes ramifiés s'ouvrant à
l'extérieur du corps. À leurs côtés, sont apparus des animaux respirant, eux, seulement
grâce à ces tubes : des mille-pattes et de petits
insectes comme les collemboles, qu'on trouve
encore dans la litière des forêts. Une faune se
nourrissant de plantes en décomposition ou
de cadavres d'autres invertébrés.

Beaucoup de ces animaux se reproduisaient à terre. Ils pondaient à l'intérieur
même des plantes, ce qui empêchait les
œufs de se dessécher. Mais certains dépendaient encore de l'eau pour leur reproduction. Ils devaient pondre dans
les mares ou les rivières, et leurs œufs
donnaient naissance à des larves
aquatiques pourvues de branchies à
l'extérieur du corps.
Il est possible que ces
branchies — après
avoir grandi et s'être
élargies — aient été
à l'origine des ailes
des insectes. On sait
en effet que de petites
« mouches » comme
les éphémères vivent
aujourd'hui sous l'eau
avec des branchies externes, à l'état de larves.

Ce crâne
d'*Acanthostega*
a été retrouvé au Groenland,
une île tropicale au carbonifère !

UNIVERSITY OF COPENHAGEN/CORBIS

Au début, leurs pattes avant
ne pouvaient pas s'étendre,
quand celles de l'arrière le
restaient constamment.
Elles ne leur permettaient donc que
de ramper. Avec
le temps, cependant, le problème
fut résolu : grâce à
leurs coudes, genoux,
poignets et chevilles, des bêtes
comme l'*Onchiodon*
(*voir dessin p. 78-79*)
ont réussi à marcher.
La respiration ne
leur posait pas de
problème : ces amphibiens avaient conservé les poumons de certains poissons.
Reste qu'ils vivaient, comme leur nom l'indique, moitié sur terre, moitié dans l'eau,
où ils pondaient leurs œufs. Or, pour
s'aventurer loin sur la terre ferme, il fallait
s'affranchir de l'eau : ce sera la grande
invention des reptiles. ●

Or, par la suite, elles
se métamorphosent en adultes dotés de
larges ailes. Quoi qu'il en soit, le plus vieil
insecte ailé fossilisé a été découvert en Allemagne : il vivait il y a 325 Ma.

## DES PATAUDS
## QUI PATAUGENT

Les ailes ont permis aux insectes de dominer la planète. Car leurs prédateurs
d'alors étaient incapables de s'élever jus-

Remerciements à Philippe Janvier, Hervé
Lelièvre, André Nel et Dario de Franceschi,
du Museum national d'histoire naturelle.

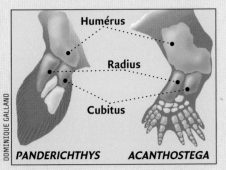

**Humérus**

**Radius**

**Cubitus**

*PANDERICHTHYS*     *ACANTHOSTEGA*

Les poissons à nageoires lobées sont à
l'origine des animaux terrestres à quatre
pattes ; comme le montrent les squelettes
très ressemblants des nageoires de
*Panderichtys* et des pattes d'*Acanthostega*.

Premiers vertébrés
à quatre pattes

Premiers insectes avec des ailes

**365**

**325**

# LA GRANDE

# DE LA

## BASSIN DU KARROO –250 millions d'années

Bassin du Karroo, Afrique du Sud, il y a 250 millions d'années. Grâce à des œufs pondus à terre, les reptiles ont envahi le continent. Certains sont herbivores, passant leur temps à grignoter des plantes ou à se chauffer au soleil. D'autres, carnivores, sont aux aguets, prêts à les attaquer. Ils sont les aïeuls des mammifères que nous sommes.

Avec la conquête de la terre ferme, il y a un peu plus de 300 millions d'années, la morphologie de nos ancêtres s'est adaptée à tous les terrains. Découvrez comment

# ÉPOPÉE
# VIE (suite)

1. *Scutosaurus* (reptile
   herbivore de la famille
   des paréiasaures, aïeul
   des tortues)
2. *Moschops* (reptile
   mammalien herbivore)
3. *Inostrancevia* (reptile
   mammalien carnivore)
4. *Cœlurosauravus* (reptile
   volant de la lignée
   des futurs dinosaures)

es poissons se transformèrent
en reptiles, puis comment
es dinosaures cédèrent
a place aux oiseaux et aux
mammifères...

OSSIER RÉALISÉ PAR ANNE BALLEYDIER

# LES PREMIERS GROS REPTILES

**Intermédiaire entre les reptiles et les mammifères, *Dimetrodon* se chauffait grâce à une grande voile jouant le rôle d'un radiateur solaire.**

Il avait un air de dragon. Avec une grande crête courant le long de son dos comme une sorte de voile. Pourtant, *Dimetrodon* ne crachait pas de feu. Ce n'était pas un monstre imaginaire, mais un vrai reptile. Une bête à peau écailleuse de 3 m de long. Qui, comme ses ancêtres amphibiens sortis de l'eau 100 Ma (millions d'années) plus tôt, avait encore des pattes écartées de chaque côté du corps. Et cela l'obligeait à ramper.

Grâce aux muscles puissants actionnant ses mâchoires, *Dimetrodon* pouvait ouvrir sa gueule plus largement que ses prédécesseurs et la refermer avec force sur ses proies. Mieux : il était capable de tourner la tête dans toutes les directions et non plus seulement de bas en haut. Un atout non négligeable pour repérer et happer ses victimes. Mais ce qui le différenciait surtout de ses ancêtres, c'était sa manière de se reproduire. Car il ne pondait plus ses œufs dans l'eau mais sur la terre ferme. Des œufs d'un nouveau type (*voir encadré ci-dessous*), permettant à l'embryon de se développer à l'air libre ! *Dimetrodon* put ainsi prospérer dans des régions naguère inondées que le climat avait asséchées.

On a exhumé son squelette fossilisé au nord du Texas, dans des couches de terre rouge vieilles de 270 Ma. À ses côtés, gisaient des fossiles d'autres animaux, peut-être les proies dont il se nourrissait : des amphibiens, mais aussi d'autres reptiles qui, à l'instar des ancêtres du *Dimetrodon*, avaient une taille beaucoup plus modeste. Le premier reptile à voile ne mesurait en effet que 60 cm ! Baptisé *Ianthasaurus*, il a laissé ses restes datés de −300 Ma au Kansas, avec des centaines de fossiles d'un autre petit reptile à l'allure de lézard, le *Petrolacosaurus*.

Tous deux se nourrissaient d'insectes et de petits invertébrés. Mais ils étaient promis à un avenir différent. *Petrolacosaurus* n'a engendré qu'un petit nombre de reptiles, survivant tant bien que mal en s'essayant à la natation ou au vol plané, comme *Cœlurosauravus* (*voir dessin page précédente*). *Ianthasaurus*, lui, a très vite laissé la place à de gros reptiles à voile qui se sont emparés du globe : leur famille, celle des reptiles mammaliens, représente 70 % des fossiles dans les roches remontant à −270 Ma.

## Un œuf adapté à l'air libre

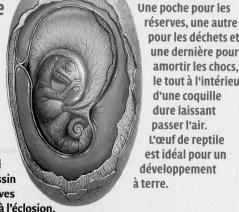

Si le plus vieux reptile connu est daté de −338 Ma, il n'a pas laissé d'œufs fossiles dans le sol écossais d'où on l'a déterré. Le plus vieil œuf que l'on pense être celui d'un reptile a été retrouvé au Texas et remonte à −270 Ma. L'embryon y est enfermé dans une coquille dure qui le protège des chocs mais laisse quand même passer l'air. À l'intérieur, un sac empli de liquide (amnios) fait office de coussin amortisseur. Un autre, plein de réserves (sac vitellin), alimente le jeune jusqu'à l'éclosion.

Une poche pour les réserves, une autre pour les déchets et une dernière pour amortir les chocs, le tout à l'intérieur d'une coquille dure laissant passer l'air. L'œuf de reptile est idéal pour un développement à terre.

Enfin un dernier sac stocke tous les déchets produits par le reptile durant sa croissance. Bref, l'œuf possède tout le nécessaire pour permettre à l'embryon de se développer tranquillement à l'air libre avant d'éclore.

ILLUSTRATIONS : CHRISTIAN JÉGOU

**Premiers reptiles**

**Premier œuf terrestre**

**338**

**270**

**Apparition des reptiles mammaliens**

**MILLIONS D'ANNÉES**

Amérique du Nord
Amérique du Sud
Amérique Centrale
Afrique
Europe et nord de l'Asie
Antarctique
Moyen-Orient
Sud de l'Asie
Inde et Australie

**LA TERRE AU PERMIEN** (–250 millions d'années)

Bassin du Karroo

# UN RADIATEUR SUR LE DOS POUR LES UNS...

Comment expliquer leur succès ? Peut-être par un meilleur contrôle de leur température interne. On sait que les lézards, serpents, crocodiles et autres reptiles d'aujourd'hui sont des animaux à sang froid. Autrement dit, leur température suit celle du milieu dans lequel ils vivent. La nuit, leur sang se refroidit et ils se retrouvent engourdis, forcés au repos. Le jour, en revanche, ils se réchauffent au soleil, refont le plein d'énergie et reprennent leurs activités. Inconvénient : plus ils sont gros et plus cela prend du temps. Les petits reptiles d'autrefois avaient donc a priori l'avantage sur les gros. Mais *Dimetrodon* et ses pairs avaient manifestement trouvé la parade avec leur voile.

Tendue sur des prolongements osseux des vertèbres, cette toile de peau était parcourue par de nombreux vaisseaux sanguins. Les chercheurs supposent donc qu'en l'exposant au soleil, les animaux pouvaient rapidement en réchauffer le sang, qui était ensuite

*Les multiples cornes et piques d'Estemmenosuchus ne l'ont pas protégé d'une disparition brutale, vers –245 Ma.*

distribué dans tout le corps : un *Dimetrodon* de 250 kg aurait mis 3 heures pour augmenter sa température de 5°C avec sa voile, contre 12 heures sans. Cette sorte de « radiateur solaire » aurait donc permis aux gros de prendre le dessus sur les petits. Et même de s'offrir le luxe d'un repas moins énergétique, à base de plantes : le reptile à voile *Edaphosaurus* était un paisible herbivore, n'ayant à craindre que l'appétit de son cousin carnivore, le *Dimetrodon*. Tous deux ont régné sur les terres d'Amérique et d'Europe réunies pendant 20 à 30 Ma. Avant de céder mystérieusement la place à leurs successeurs au corps trapu et dépourvu de voile.

On en a retrouvé des milliers dans le bassin du Karroo, en Afrique du Sud (*voir dessin, page précédente*). Ils portent eux aussi le nom de reptiles mammaliens, et datent d'environ 255 Ma. Tous avaient de larges et puissantes mâchoires, et plusieurs sortes de dents : des incisives, des canines et des petites dents rondes à l'arrière du palais. Les premières servaient à couper des feuilles ou de la viande, les dernières à broyer des végétaux coriaces, des graines ou des os. Tranchantes comme des rasoirs et mesurant jusqu'à 10 cm de long, les canines, elles, étaient utilisées comme des poignards par les herbivores pour se défendre. Les carnivores, de leur côté, les employaient pour lacérer et tuer leurs proies : des reptiles

**Des milliers de reptiles à la dentition redoutable comme ce *Dinogorgon* ont été retrouvés en Afrique du Sud.**

mammaliens herbivores, ou des reptiles plus primitifs à l'allure de gros hippopotames cuirassés comme les paréiasaures.

# UNE COUVERTURE DE POILS POUR LES AUTRES

Ces carnivores devaient dépenser beaucoup d'énergie pour chasser leurs proies. Il leur fallait donc en perdre le moins possible pendant la nuit pour repartir en chasse très vite après le lever du jour. On suppose donc que certains avaient des poils, comme les mammifères dont ils sont les ancêtres directs. Car avec cette couverture isolante, ils limitaient les pertes de chaleur après le coucher du soleil. Était-ce suffisant pour en faire des chasseurs efficaces ? Mystère. Ils n'ont de toute façon guère eu le temps de faire leurs preuves : dans les archives, 90 % de la faune terrestre et marine disparaît brutalement peu après leur apparition, vers –245 Ma.

Parmi les survivants de cette catastrophe planétaire, se trouvent des descendants de *Petrolacosaurus*. De terribles reptiles, qui, en un rien de temps, vont conquérir le globe : les dinosaures...

**Premières tortues**

**Premiers reptiles volants**

70 255 250

# PALÉONTOLOGIE

# DÉSERT DE GOBI
## –80 Ma

Désert de Gobi, Asie, il y a 80 millions d'années.
Dressés sur leurs pattes arrière, les dinosaures ont pris
le dessus sur les petits mammifères. Certains, parés de plumes,
sont de proches parents des oiseaux. Mais ce sont aussi
de redoutables tueurs de dinosaures herbivores. Lesquels sont
armés de piquants ou de cornes pour se défendre, ou se protègent
en vivant en troupeaux.

1. *Velociraptor* (dinosaure carnivore proche des oiseaux)
2. *Oviraptor* (dinosaure voleur d'œufs également proche des oiseaux)
3. *Homalocephalus* (dinosaure herbivore à tête casquée)
4. *Saurolophus* (dinosaure herbivore à bec de canard)
5. *Pteranodon* (ptérosaure, cousin des dinosaures)
6. *Deltatheridium* (petit mammifère)

# L'ÈRE DES DINOSAURES

Le règne de ces étranges reptiles est né d'une terrible catastrophe qui a secoué la planète il y a 245 Ma. De violentes éruptions volcaniques ont alors libéré dans l'air quantité de poussières formant un écran gris qui bloquait les rayons du soleil. Ce phénomène, associé à un climat tour à tour glacial et brûlant, mit un terme brutal à l'existence de 90 % des animaux.

Parmi les rescapés, figuraient quelques reptiles mammaliens *(voir pages précédentes)* et des descendants d'un autre reptile, le *Petrolacosaurus*, dont l'un a engendré le plus vieux des dinosaures : l'*Eoraptor*. Celui-ci a laissé son squelette en Argentine, dans des roches vieilles de 228 Ma. Il ne faisait pas plus de 1 m de long. Ses dents, tranchantes, étaient typiques d'un carnivore qui, s'étant mis debout, pouvait dès lors courir après n'importe quelle proie, le cou tendu vers l'avant et la queue à l'horizontale.

Eoraptor a cependant très vite cédé sa place à d'autres dinosaures au régime alimentaire plus varié. Notamment à des herbivores de 7 à 9 m de long, comme les *Plateosaurus* apparaissant dans les archives fossiles vers –210 Ma. En un rien de temps, ces dinosaures herbivores ont fait disparaître ce qu'il restait de gros reptiles mammaliens : marchant sur leurs plates-bandes avec bien plus d'aisance du fait de leur position érigée, ils leur ont coupé l'herbe sous le pied. Seuls de minuscules mammifères, succédant aux reptiles mammaliens, ont résisté. Condamnés à rester dans l'ombre de dinosaures que le temps allait transformer en géants.

C'est aux alentours de –150 Ma que les dimensions des dinosaures ont véritablement battu tous les records. Le champion en la matière porte le nom de *Seismosaurus* : d'après les os qu'il a laissés aux États-Unis, on estime sa taille à plus de 40 m !

Contrairement à ce que l'on pourrait penser, les ptérosaures, comme ce *Dsungaripterus*, ne sont pas les ancêtres des oiseaux, qui sont en fait directement issus d'une lignée de dinosaures.

CHRISTIAN JÉGOU

## DES GÉANTS QUI PRENNENT DU VENTRE

Cette course au gigantisme peut s'expliquer. Car leur nourriture — branches et feuilles — étant pauvre en calories, il leur fallait en avaler une quantité énorme pour avoir l'énergie nécessaire au fonctionnement de base de leur organisme. En devenant plus grands, leur ventre augmentait donc de taille et leur volume alimentaire aussi. Reste qu'avec le temps, les premiers venus ont englouti tout ce qu'il y avait de feuilles à leur hauteur. Les suivants ont donc dû grandir davantage pour chercher plus haut de quoi se nourrir. Leur poids leur interdisant de se

JEAN-MARC GIBOUH / GAMMA

Parmi les géants de l'époque, *Tyrannosaurus Rex* terrorisait même ses cousins herbivores.

Premiers reptiles à poils

Premiers mammifères

Premiers dinosaures

MILLIONS D'ANNÉES

240

230

228

James L. Amos / Corbis

LA TERRE
AU CRÉTACÉ
(-80 millions
d'années)

Désert
de Gobi

*Archaeopteryx,* l'un des plus vieux oiseaux connus, savait sûrement planer, mais n'avait pas assez de force pour voler.

*saurus,* puis sur le corps de ses descendants cuirassés, ou encore des cornes, comme celles de *Protoceratops* et de toute sa lignée.

Une armure indispensable pour affronter les féroces prédateurs de l'époque. Comme ces tyrannosaures de 12 m et 6 t armés de puissantes mâchoires et de dents acérées qui sévissaient aux États-Unis et en Asie dès −70 Ma. Ou ce carnivore moins lourd et plus rapide, le *Velociraptor* (*voir pages précédentes*), découvert agrippé à la tête d'un *Protoceratops* en Mongolie. Pesant à peine 60 kg, avec un museau aussi long qu'un bec et les pouces des pieds repliés vers l'arrière, ce monstre est un proche parent des oiseaux. En fait, un cousin d'*Archaeopteryx,* l'un des plus vieux oiseaux connus (−147 Ma).

## UN DRÔLE D'OISEAU QUI PEUT TOUT JUSTE PLANER

Il n'est pas certain qu'*Archaeopteryx* ait volé comme le font les oiseaux aujourd'hui. Car s'il possédait des os creux et de longs bras recouverts de plumes, on pense qu'il n'avait pas les muscles nécessaires pour bien les faire battre. Il pouvait en revanche facilement planer, à l'instar des reptiles volants ayant bien avant lui conquis le ciel : des ptérosaures ayant en commun avec les dinosaures l'aïeul *Petrolacosaurus,* et dont les squelettes ont été trouvés près d'anciens rivages, dans des roches datées de −200 à −65 Ma. On sait ainsi que leurs ailes étaient faites d'une peau tendue entre leurs « pouces » griffus. Et que plusieurs d'entre eux étaient recouverts d'une épaisse fourrure.

Cette fourrure était aussi isolante que des plumes. On peut donc en déduire que les ptérosaures avaient comme les oiseaux le sang chaud, et tiraient leur énergie non plus du soleil mais de leur nourriture : cela leur évitait des pauses forcées après chaque vol pour recharger les batteries. Leurs cousins dinosaures avaient-ils, de même, adopté cette solution ? C'est probable, au moins pour ceux qui ont donné naissance aux oiseaux. Mais rien ne permet de l'affirmer : les ptérosaures comme les dinosaures ont aujourd'hui tous disparus. Une énorme météorite leur a réglé leur compte il y a 65 Ma : un cratère impressionnant témoigne encore de son impact au Mexique. Oiseaux et mammifères ont alors eu le champ libre. Profitant du cortège d'insectes nés de l'invention des fleurs, ils ont pu se diversifier, grandir et occuper tous les recoins de la Terre...

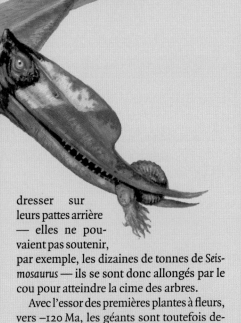

dresser sur leurs pattes arrière — elles ne pouvaient pas soutenir, par exemple, les dizaines de tonnes de *Seismosaurus* — ils se sont donc allongés par le cou pour atteindre la cime des arbres.

Avec l'essor des premières plantes à fleurs, vers −120 Ma, les géants sont toutefois devenus moins nombreux. Les fruits de ces magnolias et sycomores sont riches en calories et constituent en effet un repas plus avantageux que les branches et feuilles au faible potentiel nutritif. Des herbivores de moins de 10 m se sont donc mis à proliférer, en se nourrissant des plantes à fruits qu'ils trouvaient à ras de terre. Leur taille les rendant vulnérables, ils se sont équipés pour se défendre : des piquants sur le dos de *Stego-*

## Révolution dans la reproduction

**Alors que les reptiles conquièrent la terre et le ciel, d'autres retournent à l'eau entre −240 et −65 Ma. Parmi eux, les ichtyosaures (*ci-dessous*) à l'allure de dauphins cessent d'aller pondre leurs œufs à terre pour porter les petits directement dans**

Jonathan Blair / Corbis

**leur ventre. Cette nouveauté physiologique leur permet de couper les ponts avec le continent. Mais aussi de protéger leurs petits aux stades les plus critiques. Une invention qui sera bientôt reprise par les mammifères...**

Premiers crocodiles        Premiers oiseaux            Premières plantes à fleurs

**200**        **150**        **120**

# PAYS BASQUE
# −70 000 ANS

Pays basque, Europe, il y a 70 000 ans. Le climat s'étant rafraîchi, n'ont survécu que les plus poilus des mammifères : des mammouths laineux, des bisons, des rennes et autres adeptes des pâturages traqués par le lion des cavernes… et aussi par l'homme. Moins poilu, ce mammifère bipède était assez futé pour transformer ses trophées de chasse en couvertures.

2

3

1. *Mammuthus primigenius*
   (mammouth laineux)
2. *Panthera spelaea*
   (lion des carvernes)
3. *Rangifer tarandus*
   (renne)
4. *Homo neandertalensis*
   (homme de Neandertal)

# LA LONGUE ROUTE DES MAMMIFÈRES

LACZ / SUNSET

Leur vie n'était faite que d'allers-retours. La faim au ventre, les mammouths laineux devaient pour se nourrir, il y a 70 000 ans, parcourir l'Europe, l'Amérique ou l'Asie d'un bout à l'autre. Comme bien d'autres mammifères, ils descendaient vers le sud en hiver, quand la neige et la glace recouvraient leurs pâturages, et rebroussaient chemin en été, lorsque la végétation reprenait le dessus.

Cela faisait un sacré bout de temps que le climat les enquiquinait. Deux millions d'années que par vagues le froid couvrait de glace une grande partie des terres. Une bonne couche de graisse et un manteau de poils permirent à plusieurs mammifères de résister. Mais beaucoup disparurent. Ils avaient pourtant appris à ne pas se laisser abattre au cours de leur histoire, grâce à une descendance dont ils prenaient grand soin. Leurs petits n'étaient plus, comme ceux des dinosaures, abandonnés très vite à leur sort. Ils commençaient par se développer dans le ventre de leur mère et non dans des œufs. Puis restaient agrippés à ses mamelles, jusqu'à devenir assez costauds pour se débrouiller seuls.

Ces deux innovations — la gestation et l'allaitement — ne sont pas apparues en un jour. Au départ, les premiers mammifères pondaient sans doute des œufs comme l'ornithorynque, un mammifère primitif au bec de canard et aux pattes palmées qui vit aujourd'hui en Australie. Et comme lui, certains ont probablement commencé à nourrir leurs petits de leur lait, le liquide suintant sur leur ventre pour qu'ils le lèchent.

## DU PETIT À L'ADULTE, DEUX JEUX DE DENTS

Cette alimentation particulière au début de la vie s'est alors accompagnée d'une adaptation dentaire. En effet, deux dentitions successives sont nécessaires : les fragiles «dents de lait», puis les dents définitives, plus robustes, adaptées à l'alimentation de l'adulte.

On retrouve ce double jeu de dents chez les fossiles de *Morganucodon*, un minuscule mammifère à l'allure de musaraigne qui se nourrissait d'insectes en Europe, en Chine et en Afrique il y a environ 230 Ma. On peut donc en déduire que chez lui l'allaitement était de mise. Tout comme chez d'autres petits animaux lui succédant : des sortes de rongeurs du nom de *Steropodon* qui ont laissé leurs dents en Australie, il y a 105 Ma, et des mangeurs de fruits et de graines appelés *Dryolestes* récemment découverts

ILLUSTRATIONS : CHRISTIAN JÉGOU

Proche parent des kangourous, le *Thylacosmilus* vivait en Amérique du Sud il y a 5 à 7 Ma. Ses dents de sabre — de longues canines — lui servaient à tuer mais pas à manger.

Premiers mammifères qui portent leurs petits dans le ventre

**100**

Premiers grands singes

**20**

Premiers hominidés

**7**

MILLIONS D'ANNÉES

ornithorynque est un des
ares mammifères qui
ondent encore des œufs.
n très ancien héritage.

au Portugal dans des couches datées de −150 Ma. Les premiers sont probablement les grands-oncles de l'ornithorynque pondeur d'œufs. Les seconds sont, quant à eux, les parents d'autres types de mammifères : le kangourou, dont les petits naissent inachevés et terminent leur développement en tétant dans sa poche ventrale, et tous les autres, de la souris à l'éléphant, dont les rejetons naissent parfaitement développés et n'ont plus qu'à grandir en tétant leur mère. Pour les généticiens, c'est vers −100 Ma que ces trois grandes catégories de mammifères ont vu le jour : en comparant le matériel héréditaire des uns et des autres, ils ont pu remonter le temps et estimer l'âge de leur séparation. Mais leurs fossiles donnant du fil à retordre aux paléontologues, personne ne sait lesquels sont apparus les premiers.

## CHACUN ADAPTE SES ARMES POUR SURVIVRE

C'est aux environs de −55 Ma, le climat devenant plus clément voire carrément torride, que les mammifères en ont vraiment profité pour proliférer. Ils ont alors grandi et exploité toutes les ressources dont ils pou-

C'est vers −100 Ma que les mères des petits mammifères ont commencé à garder leurs œufs dans leur ventre pour que leurs petits s'y développent tranquillement. Les ancêtres du kangourou font partie de ces pionniers.

vaient disposer. Certains ont perdu leurs dents et allongé leur museau comme les fourmiliers, tatous et paresseux dont ils sont les cousins éteints. D'autres ont déterré des racines grâce aux longues griffes de leurs pattes antérieures, pour les grignoter avec leurs dents à l'émail renforcé — des dents semblables à celles des rats, marmottes et autres rongeurs. D'autres encore ont troqué leurs doigts contre des sabots, pour parcourir de longues distances en quête de feuilles ou de vertes prairies : ce sont les précurseurs des chevaux, hippopotames, rhinocéros et éléphants. Naturellement, une pléiade de carnivores armés de canines carnassières a profité de cette chair fraîche : les parents des belettes, ours, loups, félins, etc. Les premiers petits singes, dotés d'une longue queue et de mains bien développées, pouvaient leur échapper en se réfugiant dans les arbres, sautant d'une branche à l'autre en les saisissant et se nourrissant de fruits.

Quelques-uns de ces singes ont fini par perdre leur queue, il y a 40 Ma, en Asie et en Afrique. Et tandis qu'un peu partout le climat fraîchissait, ces singes ont profité de la chaleur africaine pour se développer. Certains ont, comme le *Proconsul* datant de −20 Ma, appris à quitter au besoin les arbres pour déambuler par terre à quatre pattes, voire plus ou moins sur deux pattes, à l'instar des gibbons, chimpanzés, gorilles et orang-outan dont ils sont les parents.

Plus tard, vers −15 Ma, d'autres ont décidé d'opter définitivement pour la bipédie,

libérant leurs mains pour se servir d'outils. D'après les dernières découvertes, les premiers hominidés seraient apparus en Afrique il y a 7 Ma. Avant de se répandre dans l'Asie et l'Europe d'à côté.

## DES SINGES QUI MARCHENT SUR DEUX PATTES

Les *Homo erectus* ont investi les terres d'Europe les premiers (de −780 000 à −350 000 ans pour ceux d'Atapuerca, en Espagne ; vers −450 000 ans pour ceux de Tautavel, dans les Pyrénées-Orientales), pour céder finalement la place aux hommes de Cro-Magnon vers −35 000 ans. Traquant les mammouths, bisons, et autres grosses bêtes, ils ont eu vite fait d'accentuer le déclin de ces derniers. Mais au bout d'un moment, ils ont compris à quel point il pouvait être plus utile de domestiquer l'animal que de le chasser : le loup devient ainsi compagnon de jeu des enfants dès −12 000 ans, puis c'est au tour des chèvres sauvages, aurochs, sangliers, volatiles, etc. Au final, il reste aujourd'hui bien moins de mammifères qu'il n'y en avait autrefois. La faute à l'homme ? Peut-être en partie, mais pas seulement... ●

Remerciements à Bernard Battail, du Museum national d'histoire naturelle ; à Éric Buffetaut, du CNRS ; et à Pierre-Olivier Antoine, des universités de Montpellier-II et de Toulouse-III.

**POUR EN SAVOIR PLUS**
*Les Animaux préhistoriques,* aux éditions Bordas.
*Le Livre de la Vie,* sous la dir. de S.J. Gould, aux éditions du Seuil.
*Les Dinosaures,* par S. J. et S.A. Czerkas, aux éditions Atlas.
*Une Brève Histoire des mammifères,* par J. L. Hartenberger, aux éditions Belin/Pour la Science.

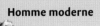

Homme moderne

Premiers animaux domestiques

# 35000 ans       12000 ans

# Au cœur des orages

## Quand le ciel nous tombe sur la tête

La fin du monde ? Pas encore. Mais ça y ressemble. Ciel d'encre. Moiteur inhabituelle. Puis, soudain, c'est l'explosion. Un déluge de pluie mêlé d'éclairs qui déchirent l'horizon dans un fracas de tonnerre. D'où viennent ces fabuleuses colères météorologiques ? Comment s'en protéger ? Attention, il y a de l'électricité dans l'air...

Par Olivier Lascar

# Des monstres d'énergie

MICHAEL MARTEN / SPL / COSMOS

**Plusieurs milliers de tonnes !** Eh oui, ne vous fiez pas à l'image cotonneuse et aérienne des nuages : un bon gros cumulonimbus, ça pèse son poids. Gorgés d'eau liquide et de cristaux de glace, ces nuages d'orages situés bas au-dessus du sol – de 1,5 km à 2 km – peuvent mesurer de 12 à 14 km de hauteur. En fait, le cumulonimbus peut pousser verticalement jusqu'à la tropopause. La progression s'arrête là. Au-delà de cette barrière il pénètre en effet dans une zone de l'atmosphère où les règles physiques ne sont plus les mêmes. Ce chamboulement ne permet plus au cumulonimbus de pousser en hauteur. Et le sommet du nuage s'écrase sur cette barrière. Le cumulonimbus, sorte de gros chou-fleur bourgeonnant, se voit ainsi rehaussé d'une nappe effilochée en guise de chapeau. La silhouette de l'ensemble fait penser parfois à une enclume, image qui sied bien au temps lourd qui précède l'orage.

*2000,* c'est le nombre d'orages qui grondent en permanence autour de la Terre. Leur rôle est prépondérant : en produisant des éclairs, ils permettent de répartir les charges et d'équilibrer en permanence le champ électrique terrestre.

# 30 000 °C !

La chaleur d'un éclair est 6 fois plus élevée que celle de la surface du Soleil. Elle a été libérée par une décharge électrique de plusieurs millions de volts. Quand on sait les risques liés à celle du 220 V des prises de la maison, on imagine aisément les conséquences catastrophiques du flash céleste quand il touche le sol. L'impact libère une immense quantité d'énergie dont les effets peuvent être dramatiques : des incendies, des courts-circuits, des coupures de courant et des perturbations électromagnétiques. Plus grave encore : chaque année les coups de foudre tuent des centaines de personnes de par le monde. Mais leurs effets peuvent aussi être incongrus. Ainsi, en avril 1932 dans le Manitoba, au Canada, les habitants d'Elgin eurent la surprise de voir directement tomber du ciel des oies rôties. Un coup de la foudre, qui avait frappé les 52 volatiles en formation de vol !

**Plusieurs centaines d'éclairs par seconde** crépitent dans l'atmosphère terrestre. Peu d'entre eux viendront frapper le sol. Sous nos latitudes, c'est de l'ordre de 1 sur 10 en été ou 1 sur 5 en hiver. En France, le record est de 79 000 impacts en vingt-quatre heures.

**Entre 400 et 500 litres d'eau par mètre carré** ont déferlé du ciel en septembre 1992 à Vaison-la-Romaine, provoquant un mini raz de marée dévastateur. C'est 6 à 7 fois plus que la quantité de précipitations d'un orage classique.

## Sur plus d'un millier de kilomètres

les cumulonimbus peuvent être alignés les uns derrière les autres. D'où des orages sévissant pendant plusieurs heures, voire une journée. Il arrive aussi que les événements orageux s'étalent sur plusieurs jours d'affilée, avec des pauses la nuit, durant lesquelles ils se régénèrent.

## Plus de 1 kg !

C'est le record actuel des grêlons les plus lourds jamais tombés du ciel. C'était en 1986 au Bangladesh, où ils ont causé la mort de 92 personnes. Des glaçons mortels bien plus gros que ceux-ci, ramassés dans le Minnesota.

**5 minutes.** Pendant ce laps de temps, la France entière consomme la même quantité d'énergie que celle qui bouillonne dans un cumulonimbus pendant l'orage. Son déferlement, sous forme de pluie, grêle (ci-contre, au Texas, elle a fait 9 morts le 6 mai 1995), vent ou autre coup de foudre, peut être catastrophique. Un exemple parmi d'autres : le violent orage, accompagné d'une brusque baisse de température de 13 °C, d'une chute de grêlons plus gros que des cerises et de vents supérieurs à 140 km/h, qui dévasta l'aéroport de Toulouse le 7 août 1989. Dans les cas les plus extrêmes, cette débauche énergétique peut entraîner l'apparition d'un cône de vents tourbillonnants sous le nuage orageux : c'est une tornade.

# Un cumulonimbus explosif

**1** Imaginez une masse d'air humide, irradiée par un soleil d'été. La réverbération du sol fait que certains points de cette nappe atmosphérique sont plus chauffés que d'autres. Cet air surchauffé s'élève alors comme le ferait une montgolfière. Ou telle une bulle de liquide qui décolle depuis le fond d'une casserole d'eau que l'on fait bouillir.

**2** À mesure que cette mini-montgolfière grimpe en altitude, sa température s'abaisse. Du coup, une partie de la vapeur d'eau contenue dans cette bulle d'air se transforme en gouttelettes, en se condensant autour de petites poussières. C'est l'amorce du nuage.

**3** Ce phénomène de condensation s'accompagne d'un dégagement de chaleur. Celle-ci est transmise à l'air avoisinant, qui continue alors à monter. Des mouvements ascendants provoquent l'extension verticale du nuage jusqu'à la zone atmosphérique supérieure, où la température est souvent plus élevée. Les courants ascendants butent alors sur cette barrière, la tropopause.

**4** Plus on monte, plus il fait froid. Et le nuage en expansion arrive à l'altitude au-dessus de laquelle la température chute sous 0 °C. Le passage de cette frontière donne le top départ de la transformation des gouttelettes en cristaux de glace. Bientôt, la grêle s'accumule au sommet du cumulonimbus, qui peut trôner entre 12 et 14 km d'altitude.

**5** Gouttelettes ou autres cristaux de glace – les ingrédients qui composent le nuage – sont entraînés par les vents ascendants nés avec la montée initiale de l'air chaud. Devenus trop gros, ils chutent vers le sol et provoquent des courants descendants dans le nuage.

**6** Ces mouvements ascendants et descendants qui tourbillonnent verticalement dans le nuage vont alimenter l'orage tant qu'il y a de l'air chaud à la base du cumulonimbus. L'orage cesse et le nuage se résorbe quand ce carburant, notamment dispersé par les précipitations, n'est plus disponible.

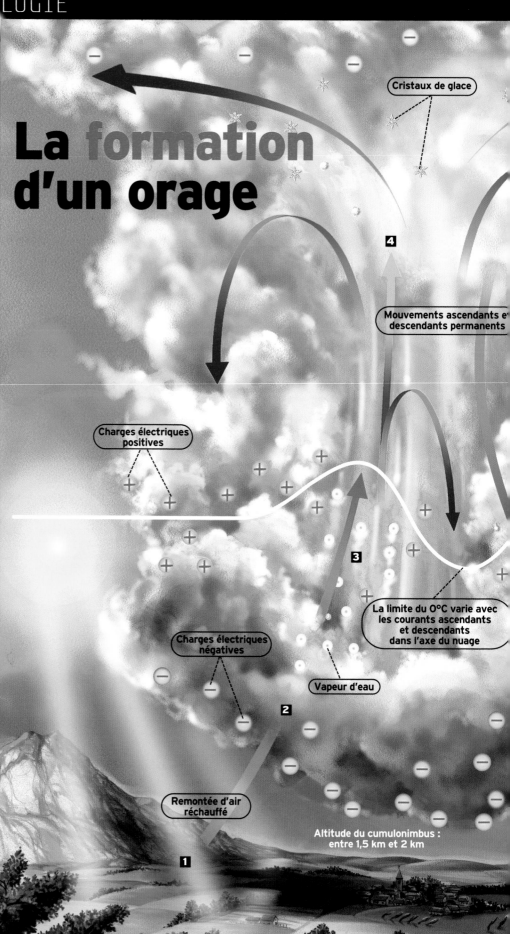

# La formation d'un orage

Cristaux de glace

**4**

Mouvements ascendants et descendants permanents

Charges électriques positives

La limite du 0°C varie avec les courants ascendants et descendants dans l'axe du nuage

**3**

Charges électriques négatives

Vapeur d'eau

**2**

Remontée d'air réchauffé

Altitude du cumulonimbus : entre 1,5 km et 2 km

**1**

T° = environ −60°C

DE 12 KM À 14 KM : TROPOPAUSE
Altitude maximale du cumulonimbus

Grêlons

**2**

**1**

Grêle

Pluie

**5**

T° = 0°C

**6**

Décharge électrique
entre charges
opposées

Précipitations

Front de
rafale

Impact de
foudre

## La pluie et les grêlons

**1** Des microgouttelettes d'eau apparaissent à mesure que l'air humide s'élève, portées par les mouvements ascendants à l'intérieur du nuage. Quand plusieurs millions de ces gouttelettes s'agglutinent, elles forment une goutte d'eau bien trop lourde pour être maintenue en l'air. La voilà qui chute. Si la résistance de l'air est insuffisante pour s'y opposer, alors la pluie tombe. Sinon, elle peut avoir raison de cette grosse goutte et la fractionner en nouvelles gouttelettes. Redevenues légères, elles sont à nouveau entraînées vers le haut par les vents ascendants, regrossissant et donnant de plus en plus de gouttes d'eau.
Ce va-et-vient alimente en liquide les trombes d'eau qui tomberont bientôt du cumulonimbus.

**2** Au-dessus de la limite de congélation, les cristaux de glace sont soumis aux mêmes mouvements alternativement ascendants et descendants. Dans les couches basses, de l'eau liquide s'agglutine au cristal : elle le recouvre d'une couche de glace transparente. Ce grêlon en devenir, entraîné à nouveau en l'air par les courants ascendants, se couvre d'une couche opaque constituée par les cristaux qui s'agglutinent à lui. Ce mouvement de va-et-vient et la multiplication des couches qui l'accompagne continue jusqu'à ce que le poids du grêlon le fasse tomber vers le sol, à une vitesse qui peut aller jusqu'à 160 km/h.

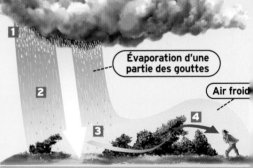

Évaporation d'une
partie des gouttes

Air froid

**1**

**2**

**3**

**4**

## L'apparition du front de rafale

Il faisait chaud et lourd, et soudain il fait froid ! Ce phénomène est lié à la chute de la pluie (1). Les gouttes de pluie pénètrent un air plus sec que le nuage dont elles proviennent, et relativement plus chaud. Une partie de l'eau voire sa totalité s'évapore alors en tombant (2). Or la transformation d'eau en vapeur est une réaction qui pompe de la chaleur, chaleur prise à l'air de l'atmosphère, qui devient plus froid. Voilà la formation d'une masse d'air plus froide donc plus dense : elle chute (3). Arrivé au sol, ce fluide s'écoule le long de la surface de la terre sous la forme de vents plus ou moins violents (4). Ces rafales de vent s'accompagnent d'une chute brutale de température de plusieurs degrés (5 °C à 6 °C en moins, voire davantage).

# Un spectacle son et lumière

On pensait jadis que l'éclair était la manifestation de la colère des dieux. Depuis trois siècles, on sait que c'est une maousse décharge électrique balafrant la voûte céleste. Parfois elle reste confinée à l'intérieur du nuage orageux. Et dans seulement 20 % des cas cette décharge vient relier les nuages au sol : c'est le coup de foudre.

## L'éclair, une décharge électrique

Le cumulonimbus orageux est un énorme réservoir de charges électriques. D'où viennent-elles ? Les scientifiques sont sur différentes pistes. Certains pensent qu'elles sont créées par les frottements que provoquent les nombreux tourbillons à l'intérieur du nuage entre les poussières, gouttes d'eau et cristaux qui le composent. D'autres cherchent plutôt du côté des changements d'état de l'eau – gaz, liquide ou vapeur – en son sein. Toute la lumière n'est pas faite sur cette question. Quoi qu'il en soit, ces charges sont là. Leurs valeurs électriques sont de deux types différents : soit positives, soit négatives. Et le nuage se comporte finalement comme un grand sac dans lequel cohabitent des paquets de charges (+) et des paquets de charges (–). Des paquets qui s'attirent mutuellement lorsqu'ils sont de signes opposés. Lorsque cette attraction devient trop forte, survient une décharge électrique destinée à l'équilibrer. Cette décharge, c'est l'éclair.

Durée totale du phénomène : quelques millisecondes

Descente de charges électriques négatives

Les charges positives jaillissent à l'approche des charges négatives

Les charges positives s'engouffrent dans le canal

Accumulation de charges positives en aplomb du nuage

Impact de la foudre

**1** Un cumulonimbus orageux surplombe le sol. Grosso modo, les charges positives sont regroupées au milieu du monstre et les charges négatives en son sommet et à sa base. Cette accumulation ne laisse pas indifférent le terrain surplombé par le nuage. En effet, celui-ci contient également des charges électriques. Parmi celles-ci, les charges positives vont alors s'accumuler à la surface du sol grâce à l'attraction qu'exerce sur elles la base du nuage chargée négativement. Base du nuage et sol : voilà deux électrodes géantes séparées par une nappe d'air isolante. Celle-ci est de moins en moins étanche au passage de l'électricité à mesure que l'attraction entre les charges devient trop forte. N'en pouvant plus, quelques charges négatives bondissent soudain du nuage pour rejoindre leurs promises massées au sol.

**2** Pas facile de trouver le meilleur chemin vers la terre : les charges négatives tâtonnent. Elles s'engagent dans des voies qu'elles abandonnent, dessinant une véritable arborescence dans l'air ambiant. En face, les charges positives tentent également de trouver le plus court chemin pour remonter vers le ciel : elles s'accumulent sur des points élevés comme la cime d'un arbre. D'où elles jaillissent, même pour former un tout petit arc électrique.

**3** Ça y est : les amorces électriques se rencontrent. C'est comme si on venait de trouver l'interrupteur qui permet enfin de mettre en contact les deux bornes de la pile. L'éclair peut enfin emprunter le canal dessiné par les charges électriques pour déferler jusqu'au sol. Celui-ci joue alors, pour rester sur l'analogie avec le circuit électrique, le rôle d'une gigantesque résistance. Le courant de foudre ne peut traverser cet obstacle qu'au prix d'un formidable dégagement de chaleur (le fameux « effet joule ») au point d'impact.

## Fracas en différé

La chaleur dantesque de l'éclair provoque une brusque dilatation de l'air qui va ensuite se contracter en refroidissant. Ce mouvement violent de va-et-vient crée une onde de choc : la vitesse de l'air dépasse celle du son et crée une onde sonore similaire au bang ! d'un avion. C'est le tonnerre.

**Dilatation de l'air**

**Onde sonore**

**Contraction de l'air**

**Ondes sonores parcourant différentes distances**

En fait, c'est en chaque point de l'arc lumineux que démarrent autant de vaguelettes productrices de son. Elles partent toutes d'un point différent de l'espace et ne voyagent pas sur la même distance pour atteindre un observateur. Celui-ci perçoit alors le tonnerre comme un grondement plutôt qu'un bruit sec. La lumière et le son ne voyagent pas à la même vitesse dans l'air. À peu près 300 000 000 m/s pour les rayons lumineux et 340 m/s pour l'onde sonore. Autant dire que notre perception visuelle de l'éclair est quasi immédiate, alors que le grondement du tonnerre nous parvient avec quelque retard. On peut déduire, de ce décalage, la distance approximative de l'orage. Il suffit pour cela de compter les secondes séparant l'éclair du tonnerre, puis de multiplier ce chiffre par 340 : et voilà la distance en mètres !

## À l'abri du paratonnerre

Du fil et une aiguille : tel est le matériel de base d'un paratonnerre. La foudre préférant finir sa course sur les objets proéminents, où s'accumulent les charges électriques, cette pointe taillée dans un métal conducteur devient la cible privilégiée des fatales décharges. Elles sont ensuite dirigées vers la terre via un câble conducteur reliant ladite pointe au plancher des vaches. Inventé par Benjamin Franklin à la fin du XVIIIe s., on n'a pas trouvé mieux pour se garder des coups de foudre.

PETER MENZEL/COSMOS

## Sculpté par la foudre

Ces marques ont été laissées par la foudre dans du sol sableux. On appelle « fulgurites » ces véritables sculptures en forme d'arborescence qui peuvent mesurer jusqu'à 5 m de long.

# L'orage gronde : que faire ?

ILLUSTRATIONS : NICOLAS JULO

### Où aller quand on est surpris en pleine campagne ?

Un mot d'ordre : fuir les arbres, particulièrement ceux qui sont isolés. D'abord, pour ne pas courir le risque de se le prendre sur la tête. En effet, les vents violents qui ont cours durant l'orage peuvent avoir raison de ce pseudo-parapluie. Surtout si les pluies diluviennes ont transformé en gadoue la terre retenant ses racines. Ensuite parce que l'arbre, en tant que plus court chemin entre le ciel et la terre, attire la foudre. Et la carcasse du malheureux bipède offrant encore moins de résistance à l'électricité que le bois de l'arbre, la foudre trouve là un moyen encore plus privilégié pour rejoindre le sol.

Éloigné de tout arbre, un bonhomme, même droit comme un « i », a 50 fois moins de chance d'attirer la foudre. Mais le risque existe ! Les golfeurs, qui additionnent un maximum de handicaps à cause du club métallique qu'ils tiennent à bout de bras, sont ainsi régulièrement les victimes de la foudre. La meilleure technique pour éviter d'en être une cible privilégiée lorsqu'un orage vous surprend en pleine promenade sur un terrain découvert, c'est de vous mettre en boule sur place, voire de vous allonger par terre. C'est salissant, mais au moins on ne finit pas rôti !

ILLUSTRATIONS : CAROLINE PICARD

**Courant de foudre**

Gare au foudroiement direct, surtout si le promeneur tient un objet métallique !

Le corps humain offre moins de résistance à la foudre que le tronc de l'arbre.

Le courant de foudre qui remonte du sol est moins dangereux pour l'homme que pour l'animal, dont le cœur se trouve sur le chemin du courant.

DANIEL JANIN/AFP

TIENS, UN NAGEUR GRILLÉ !

### Et si l'on est en train de barboter dans la mer ?

Attention, situation risquée ! La foudre n'a pas besoin, en effet, de tomber directement sur un individu pour en faire sa victime. Car le courant céleste ne disparaît pas aussi sec dans les entrailles de la Terre lorsqu'il frappe le plancher des vaches. Au contraire, il va s'écouler dans le sol environnant. Malheur alors à celui qui se trouve à proximité du point d'impact : son corps offre un séduisant chemin au courant électrique. Ledit chemin, le courant le trouvera d'autant plus facilement que tout cela se passe dans la mer. Car l'eau est un excellent conducteur électrique : de quoi permettre à la funeste étincelle de remonter direct vers le malheureux baigneur.

L'église de Saint-Quentin-sur-Indrois, dans l'Indre-et-Loire, a fait les frais de la foudre, en avril 2002.

## Est-on en sécurité dans sa voiture ?

Si elle n'est pas garée près d'une rivière dont la crue pourrait l'emporter, c'est un assez bon abri pour se protéger de la foudre. Si la décharge électrique parvient jusqu'à la voiture, elle préférera galoper sur sa carrosserie plutôt que pénétrer à l'intérieur de l'habitacle avant de rejoindre le sol. La carcasse métallique conduit tellement mieux le courant que l'air dans lequel baigne le pilote de la voiture ! En d'autres termes, pareille caisse est une bonne « cage de Faraday », du nom du scientifique qui a montré le premier qu'être caché à l'intérieur d'une structure métallique est un bon moyen d'échapper à la foudre. Mais les occupants de la voiture auront intérêt à ne pas titiller l'autoradio ni aucune des parties métalliques de l'engin. Et surtout, s.v.p., évitez les décapotables !

Pas de souci pour ce drôle d'oiseau : les parois métalliques de sa cage de Faraday interceptent le courant.

PETER MENZEL/COSMOS

## Et dans un avion ?

D'abord, il faut savoir que les avions sont fréquemment foudroyés. Un appareil de ligne commerciale est en moyenne frappé 1 fois toutes les 5 000 ou 10 000 heures de vol. Mais qu'on se rassure, c'est un événement généralement sans conséquences. Grâce à sa carcasse métallique, l'avion transmet sans encombre la décharge électrique : c'est comme s'il se substituait, durant quelques instants, au chemin naturel de l'éclair dans l'air. De plus, les dispositifs électroniques de pilotage sont quasiment insensibles aux perturbations créées par la foudre. Aussi, si les pilotes s'efforcent de contourner les orages, ce n'est pas parce que les éclairs leur donnent des sueurs froides. Le risque vient plutôt des violents courants d'air qui accompagnent ces phénomènes météo. Ils peuvent déstabiliser l'appareil et le conduire au crash, particulièrement en phases d'atterrissage et de décollage.

ILLUSTRATIONS : NICOLAS JULO

ATTENTION, ÇA VA COUPER !

ALLO ?

### Est-ce qu'il est dangereux de passer un coup de fil ?

Tout dépend du téléphone que vous utilisez. Si c'est un portable, alors pas de soucis : sa discrète antenne a peu de chances d'être prise pour un paratonnerre par la foudre. Par contre, si vous comptez tailler une bonne bavette avec un téléphone filaire, c'est un autre problème. La conversation risque de mal tourner si la foudre tombe sur la ligne téléphonique aérienne ou dans son voisinage. La décharge peut en effet se propager sur la ligne, jusqu'au poste téléphonique. L'accro du combiné sera alors traversé par l'arc électrique qui cherche à gagner le sol, où son énergie a toute la place de se disperser. L'accident, s'il provoque rarement la mort, est susceptible d'entraîner de graves commotions.

D'une façon générale, un intérieur peut devenir soudainement hostile si la foudre tombe sur une ligne à haute tension. La décharge électrique risque alors de s'échapper par les câbles et autres tuyauteries qui encombrent le sous-sol jusqu'à remonter dans votre électroménager par les fils qui les connectent au réseau. Et adieu grille-pain, sèche-cheveux, télé... qu'on aura laissés branchés au secteur. EDF et les industriels de la protection contre la foudre proposent néanmoins des systèmes pour équiper les bâtiments et prévenir ce type de risques.

# Un défi a

«Hmmm... Il va y avoir de l'orage. » La phrase est rituelle, mais le pronostic est risqué. Les météorologues en savent quelque chose : environ 1 orage violent sur 3 n'est pas prévu et 2 sur 3 ne sévissent pas sur la zone annoncée ! La raison tient essentiellement à la taille et à la rapidité des phénomènes orageux. En effet, les masses d'air qui s'organisent en gros cumulonimbus menaçants ont des mensurations qui, dans leurs phases de développement, peuvent se limiter à quelques centaines de mètres. Et cette poussée peut se développer en quelques heures, voire moins.

Or comment sont effectuées les prévisions météo ? Celles dites « à long terme » — c'est-à-dire qui devancent de 2 ou 3 jours l'événement — sont réalisées à partir d'une flopée de données, entre autres température et pression de l'air, humidité de l'atmosphère ou direction des vents, qui sont enregistrées sur l'ensemble

## L'orage a ses région de prédilection

Êtes-vous dans un coin où ça tonne ? Voici la carte représentant le nombre de jours d'orages, par an, en France. Réalisée avec des données réunies sur 30 ans (entre 197 et 2000), elle montre que tous les coins de l'Hexagone ne sont pas sujets de la même façon aux colères de Jupiter. Des conditions géographiques particulières expliquent parfois ces inégalités.

### La foudre fait-elle beaucoup de victimes ?

En France, plusieurs dizaines de personnes sont foudroyées chaque année. Mais contrairement à ce qu'on pourrait penser, peu de ces accidents s'avèrent mortels. Dans les cas les plus graves, des secours rapides ont de bonnes chances de tirer d'affaire la victime. Il s'agit d'abord de pratiquer au plus vite un bouche-à-bouche combiné à un massage cardiaque afin de faire redémarrer le cœur et le réflexe respiratoire. Au final, seulement 10 % des cas ont une issue fatale.

Les victimes de la foudre souffrent généralement de brûlures, parfois de paralysies, de lésions cérébrales... et certaines, même, s'en sortent miraculeusement indemnes ! Il arrive aussi qu'on assiste à des situations inattendues comme cet homme foudroyé qui se retrouve totalement déshabillé — ses nippes déchirées et éjectées loin de lui — mais sans aucune lésion !

CARTE : DOMINIQUE GALLAND

NOMBRE DE JOURS D'ORAGE PAR AN

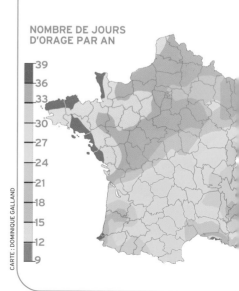

39
36
33
30
27
24
21
18
15
12
9

# révisions

du globe. En France métropolitaine, ce gigantesque réseau d'informations climatiques permet de réaliser des estimations météo — renouvelées toutes les 6 heures en fonctionnement de routine — sur des zones d'à peu près 10 km sur 10 km. Comme un filet aux trop grosses mailles ce dispositif peut laisser échapper les trop petits poissons que sont les phénomènes se déroulant à échelle beaucoup trop réduite.

## Des mesures de plus en plus précises

Voilà comment les orages peuvent échapper à la sagacité des météorologues. Pour l'instant. Car les scientifiques, bien conscients de l'intérêt de prévoir les orages au plus tôt pour définir une défense adaptée, n'ont pas dit leur dernier mot. Ils projettent, par exemple, d'utiliser des

satellites dédiés à l'analyse du champ de vapeur d'eau dans l'atmosphère. Une sacrée carte à jouer dans la prévision des orages. Autre progrès : des maillages plus resserrés devraient bientôt voir le jour. Météo France poursuit actuellement un projet — nom de code Arome — qui permettrait d'obtenir des bulletins encore plus précis sur l'Europe, alors découpée en mailles de 2 à 3 km de long. Lorsqu'il sera opérationnel, normalement à la fin de la décen-

nie, le temps de calcul nécessaire à ces prévisions sera 100 fois supérieur à celui d'aujourd'hui, qui permet de traiter déjà 300 milliards d'opérations par seconde ! ●

Un grand merci à E. Bocrie, chef de la division Renseignements-Presse et P. Lafore, ingénieur en chef de la météorologie, à Météo France ; R. Moutier, directeur de la TelComTec ; et A. Voron, directeur du développement à Météorage.

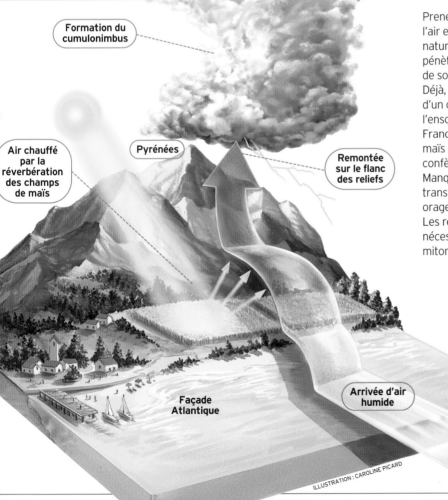

Un orage se prépare au-dessus des côtes nigérianes. Au milieu, des turbulences caractéristiques du cumulonimbus en formation.

Formation du cumulonimbus

Pyrénées

Remontée sur le flanc des reliefs

Air chauffé par la réverbération des champs de maïs

Façade Atlantique

Arrivée d'air humide

ILLUSTRATION : CAROLINE PICARD

Prenez la façade Atlantique. Gorgé d'eau, l'air en provenance de l'océan va pouvoir tout naturellement former des nuages lorsqu'il pénètre dans l'Hexagone. Toutes les conditions de son refroidissement sont en effet réunies. Déjà, l'arrivée sur le continent le fait grimper d'un cran en hauteur. Puis il bénéficie de l'ensoleillement des terres dans le sud de la France, tout particulièrement des champs de maïs qui réverbèrent à fond la chaleur, ce qui lui confère l'énergie nécessaire à son ascension. Manque parfois le dernier coup de pouce pour transformer cette masse d'air en formation orageuse. Les Pyrénées vont y pourvoir. Les reliefs peuvent en effet donner l'impulsion nécessaire pour accéder aux altitudes où se mitonne le parfait cumulonimbus.

### POUR EN SAVOIR PLUS

Le site de Météo France : www.meteo.fr

*Les Caprices du climat*, par Barbara Seuling, éd. Flammarion, coll. Sciences et nature. *La Foudre*, par Claude Gary, éd. Masson. *La Météo, questions de temps*, par René Chaboud, éd. Nathan. *La Planète en colère*, par Lesley Newson, éd. Sélection du Reader's Digest.

Un tombeau exigu et peint
à la va-vite, la trace d'un
hématome et de multiples
fractures sur le crâne :
pour le FBI, c'est clair,
Toutankhamon a été
assassiné ! Oui, mais par
qui ? Sa femme ? Son
fidèle serviteur ? Le chef
des armées ? Enquête
sur les rives du Nil.

PAR FABRICE NICOT
ILLUSTRATIONS : MILES HYMAN

# TOUTANKHAMON
# ASSASSINÉ

Deux policiers américains, Greg Cooper et Mike King, ont décidé d'utiliser les méthodes modernes de la criminologie pour tenter d'élucider le mystère de la mort de Toutankhamon.

Pour élucider ce meurtre, Greg Cooper du FBI et Mike King de la police de l'Utah (États-Unis) ont mis le paquet! Profil psychologique du meurtrier, analyse ultra-fine du comportement des suspects, reconstitution par ordinateur du visage de la victime à partir de son crâne : les deux experts en criminologie n'ont apparemment rien négligé. Il faut dire que cette affaire sort incontestablement du lot. La victime est un citoyen égyptien. Il avait environ 18 ans au moment du crime. Nom : Toutankhamon. Dernière profession connue : tout-puissant pharaon de haute et de basse Égypte. Date présumée du décès : vers 1342 av. J.-C.... Non, vraiment, l'affaire n'est pas banale. Mais que fabrique le FBI sur les plates-bandes des égyptologues ? À priori, cette très vieille histoire ne menace guère les intérêts américains. En effet, Cooper et King participent plutôt à une expérience originale : marier criminologie et égyptologie pour en apprendre davantage sur la mort de Toutankhamon. Une mort bien étrange aux yeux de ces professionnels du soupçon.

## UNE MORT ÉNIGMATIQUE

De tous les pharaons, Toutankhamon est sans aucun doute le plus célèbre aujourd'hui. Une notoriété qu'il doit avant tout à sa tombe, découverte par le Britannique Howard Carter et son équipe en 1922. Bien que modeste par rapport à d'autres sépultures royales, la tombe de Toutankhamon a subjugué les égyptologues grâce à son magnifique trésor oublié des pillards pendant plus de 3 000 ans. La mort de plusieurs membres de l'équipe de Carter, dans les années qui suivirent la découverte, acheva de rendre célèbre Toutankhamon, soupçonné d'être à l'origine d'une malédiction. Cette célébrité posthume est comme une revanche pour un pharaon qui n'a pas dû s'amuser tous les jours...

Lorsqu'il naît vers 1360 av. J.-C., l'Égypte traverse une période trouble. Le pharaon de l'époque, Akhenaton, range au rayon « antiquité » la foule des dieux égyptiens dominée par Amon Rê, pour ne plus en célébrer qu'un seul : Aton, le « disque solaire ». Une véritable révolution dans la société égyptienne! Les membres du clergé n'apprécient guère ce qu'ils considèrent comme une manœuvre destinée à diminuer leur influence. Tant et si

ILLUSTRATIONS : MILES HYMAN

bien que lorsqu'il meurt, l'œuvre si dérangeante d'Akhenaton « l'hérétique » est vite effacée. Ay, une sorte de « Premier ministre », assure la régence le temps que le successeur d'Akhenaton, Toutankhamon (on ignore quel lien de parenté unissaient les deux pharaons, gendre ou fils), soit en âge de régner. À l'âge de 9 ans, Toutankhamon monte sur le trône et, sans doute sous l'influence d'Ay, revient à l'ancien culte

d'Amon. Après un court règne dont les égyptologues ignorent presque tout, il meurt vers 18 ans dans des circonstances inexpliquées. C'est là que le FBI entre en lice !

Pour Cooper et King, la mort du pharaon est décidément suspecte. « 18 ans, c'est très jeune pour un homme qui ne devait manquer ni de nourriture, ni de soins médicaux », expliquent-ils. Un autre indice leur met la puce à l'oreille : l'exiguïté de la tombe et la décoration, notamment les peintures murales, un peu trop simples pour un pharaon. « Tout porte à croire qu'il a été enterré à la hâte, dans une tombe qui n'avait pas été prévue pour lui à l'origine. Toutankhamon est donc sûrement mort brutalement. » Arrêt cardiaque,

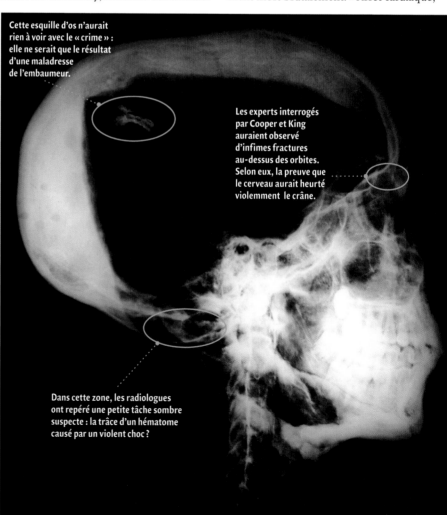

DISCOVERY-CHANNEL

Cette esquille d'os n'aurait rien à voir avec le « crime » : elle ne serait que le résultat d'une maladresse de l'embaumeur.

Les experts interrogés par Cooper et King auraient observé d'infimes fractures au-dessus des orbites. Selon eux, la preuve que le cerveau aurait heurté violemment le crâne.

Dans cette zone, les radiologues ont repéré une petite tâche sombre suspecte : la trace d'un hématome causé par un violent choc ?

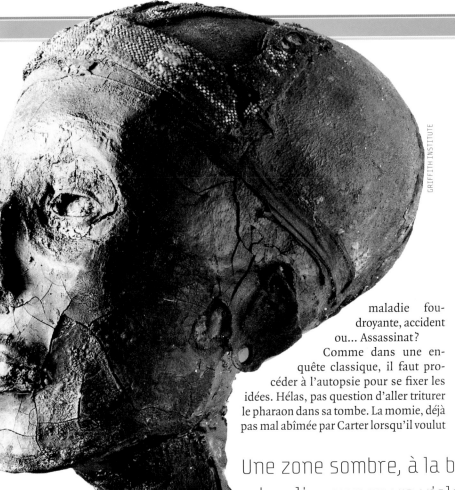

maladie foudroyante, accident ou... Assassinat ?

Comme dans une enquête classique, il faut procéder à l'autopsie pour se fixer les idées. Hélas, pas question d'aller triturer le pharaon dans sa tombe. La momie, déjà pas mal abîmée par Carter lorsqu'il voulut

consécutif à un choc. En clair, Toutankhamon aurait pu recevoir un coup violent à la tête, pourquoi pas mortel.

Cooper et King relèvent ensuite de nouveaux indices. De minuscules fractures sont visibles sur l'os frontal, au-dessus des orbites. Selon les radiologues consultés par les deux criminologues, elles pourraient provenir d'une chute en arrière plus violente qu'on ne le pensait. Le cerveau aurait heurté durement l'avant du crâne au moment du choc. Autre découverte sur les radios causant les dommages observés : Toutankhamon souffrait sans doute du syndrome de Klippel-Feil. Cette maladie génétique se traduit par une soudure des vertèbres du cou. Le malade ne peut plus tourner la tête indépendamment du corps. Ce handicap accroît considérablement les conséquences d'une chute en arrière car il est impossible de se rattraper en se retournant. Toutankhamon

## Une zone sombre, à la base du crâne, pourrait s'expliquer par un violent coup à la tête.

Ci-dessus, le crâne momifié de Toutankhamon. En 1968, une équipe de radiologues britanniques avait photographié aux rayons X le crâne du pharaon *(photo page ci-contre)*. Ils avaient alors découvert, à la base du crâne, une masse sombre, semblable à la trace qu'aurait laissée un hématome causé par un violent choc. Les enquêteurs américains sont repartis de cette constatation pour accréditer la thèse d'une mort violente. Ce document a également servi de base pour recréer en 3D la tête de Toutankhamon, telle que pouvaient la contempler ses contemporains *(voir encadré et photo page suivante)*.

l'extraire du cercueil en 1925, n'est pas en état de prendre l'air. Les autorités égyptiennes s'y opposent formellement. Heureusement, en 1968, le cercueil avait été rouvert afin, entre autres, de prendre des radios du crâne de Toutankhamon. Nos deux enquêteurs se sont donc procurés les radiographies originales afin de les faire analyser par plusieurs experts médicaux. Ces analyses ont d'abord confirmé les observations de 1968, à savoir qu'une zone sombre, à la base du crâne, pourrait s'expliquer par un caillot de sang

SUSPECT N°2 : MAYA, le gardien du trésor

semblait donc bien vulnérable. Il aurait suffi de le pousser bien fort pour le tuer. Mais qui aurait eu intérêt à le faire ? Cooper et King se tournent alors vers les proches du pharaon afin de distinguer parmi eux le profil d'un meurtrier. Pour cela, ils se rendent dans la Vallée des Rois, en Égypte, où se trouve la tombe de Toutankhamon. Grâce à l'examen minutieux des objets de la tombe et des fresques murales, ils peuvent se faire une idée de la personnalité des proches du pharaon. Ils établissent ainsi une liste de suspects :

Ankhsenamon, la femme de Toutankhamon. Deux fœtus momifiés, tragique témoignage de fausses couches, ont été retrouvés dans le tombeau. Ankhesenamon se serait-elle débarrassée d'un époux incapable d'assurer une descendance ? Douteux... Les experts notent la présence dans la tombe de nombreux indices, petits cadeaux échangés entre les époux, dessins représentant le couple uni dans différents instants de la vie du pharaon, qui les persuadent que, malgré ces deux drames, le ménage Toutankhamon était heureux. Maya, le surintendant du trésor chargé de veiller sur les finances. Toujours auprès du pharaon,

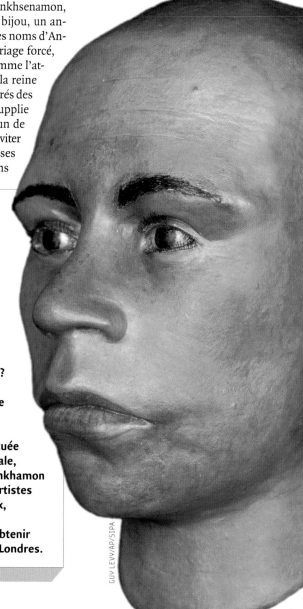

## SUSPECT N°3 : HOREMHEB, le chef des armées

il aurait eu tout le loisir de le pousser. Mais pourquoi ? A priori, il ne pouvait attendre aucune promotion après la mort du pharaon. Il pouvait même perdre sa place. Et puis, un cadeau de Maya à Toutankhamon, retrouvé dans la tombe, laisse penser que le surintendant était plutôt attaché à son maître.

Horemheb, le chef des armées. Cooper et King s'attardent particulièrement sur son cas. Horemheb apprit au pharaon à conduire un char et à chasser. Autant d'occasions de le tuer dans un malencontreux « accident ». Mais dans quel but ? Prendre sa place ? Le problème, c'est qu'il ne lui a pas pris sa place ! Après la mort de Toutankhamon, il est resté chef des armées.

Dernier suspect : Ay. Il assurait la régence après la mort d'Akhenaton jusqu'à ce que Toutankhamon soit capable d'exercer le pouvoir. Et s'il avait voulu éliminer le jeune souverain lorsque ce dernier commençait à prendre son indépendance ? Premier indice à charge : Ay a bel et bien succédé à Toutankhamon ! Il aurait épousé Ankhsenamon, comme semble l'attester un bijou, un anneau, sur lequel sont gravés les noms d'Ankhsenamon et d'Ay. « Un mariage forcé, précisent Cooper et King, comme l'atteste une lettre adressée par la reine au roi des Hittites, ennemis jurés des Égyptiens. Ankhsenamon y supplie le souverain de lui donner l'un de ses fils comme époux et de lui éviter ainsi un mariage avec l'un de ses serviteurs. Elle parle d'Ay, sans

aucun doute. » Ainsi, l'infâme Ay aurait prémédité le crime puis cette alliance royale afin de passer enfin de l'ombre à la lumière. En tout cas, Cooper et King en ont acquis l'intime conviction...

## DES EXPERTS SCEPTIQUES

Les égyptologues apprécient-ils ce coup de main du FBI ? Pas vraiment. En fait, s'il faut bien reconnaître un mérite à Cooper et King, c'est d'avoir mis pour une fois toute une grande partie de la communauté des égyptologues d'accord... pour souligner les limites de l'expérience américaine. D'abord, la mort précoce de Toutankhamon n'est pas

# Lifting pour une momie

À la demande d'une société de production américaine partenaire de l'enquête de Cooper et King, un scientifique britannique, Robin Richards, et des artistes néo-zélandais ont travaillé ensemble pour refaire une tête à Toutankhamon. Pour cela, la photo du visage momifié, sec et ratatiné, ne leur a pas été d'une grande utilité. Ils sont plutôt repartis des radiographies aux rayons X du pharaon, réalisées en 1968. Grâce à elles, l'ordinateur a d'abord construit une image en 3D du crâne du souverain. Sur cette base, la machine a pu s'attaquer à la restitution du visage de Toutankhamon. Comment ? Par comparaison ! Robin Richards a scanné plusieurs crânes de jeunes Égyptiens volontaires. La technique de scanner utilisée, la tomographie numérique, permet d'obtenir une image des os mais aussi de la chair qui les recouvre. Richards a calculé, en plusieurs points clés du visage des volontaires (menton, nez, joue...), l'épaisseur moyenne de chair située au-dessus des os. Il a ainsi reconstitué la forme générale de la tête royale, en attribuant aux mêmes points de repère situés sur le crâne de Toutankhamon la quantité de chair adéquate. Pour parfaire le portrait, une équipe d'artistes néozélandais s'est chargée de donner une couleur à la peau et aux yeux, toujours à partir des données recueillies sur les volontaires égyptiens. Au final, grâce à l'image en 3D, un moule en argile a été réalisé afin d'obtenir un très réaliste buste en fibres de verre, visible au Science Museum de Londres.

Pour se faire une idée de la personnalité des suspects, Mike King (*à gauche*) et Greg Cooper se sont rendus en Égypte pour observer les représentations de scènes de la vie quotidienne peintes sur les murs de leurs tombeaux.

si exceptionnelle sur les bords du Nil où l'espérance de vie ne dépassait pas les 35 ans il y a 3 300 ans. Des frères d'Akhenaton, par exemple, sont également morts très jeunes. De maladie ? Pourquoi pas. Dans l'aristocratie égyptienne, les mariages entre cousins ou frères et sœurs étaient courants. Or, ce genre d'alliance multiplie le risque de maladies génétiques chez les enfants à cause de la transmission par chaque parent d'un gène familial défectueux. Cela expliquerait d'ailleurs le syndrome de Klippel-Feil dont souffrait Toutankhamon, ainsi que les deux fausses couches de sa femme. Bon nombre de maladies génétiques sont mortelles, et ne laissent pas forcément de traces sur le squelette. Elles réduisaient l'espérance de vie de ces familles pourtant bien nourries et bien soignées pour l'époque.

Toutankhamon est-il mort des suites d'un choc violent ? Là encore, malgré les affirmations des deux enquêteurs, il semble bien difficile de conclure. L'état de la momie, très abîmée par Carter lorsqu'il la sortit du cercueil, ne permet pas d'affirmer que la blessure à la tête était mortelle et encore moins qu'elle était volontaire. De plus, certaines conclusions des radiologues ne font pas l'unanimité. « Dire que le

choc du cerveau, au moment d'une chute arrière, expliquerait les petites fractures sur l'os frontal, c'est une interprétation qui me surprend beaucoup... En tout cas, je n'ai encore jamais vu ça ! » confie le professeur Grenier, chef du service de radiologie à l'hôpital de la Pitié-Salpêtrière, à Paris. Une remarque qui ne désoriente pas plus que ça Mike King. « Nous comparons ce qui est arrivé au pharaon avec le syndrôme dit du "bébé choqué", qui se produit lorsqu'un parent, sous le coup de la colère, secoue trop fort l'enfant. Le cerveau, qui baigne dans un liquide, est propulsé avec une grande force contre les parois du crâne. Cela crée une rupture mortelle des vaisseaux sanguins, mais également de minuscules fractures qui peuvent rester invisibles tant que le corps ne s'est pas asséché et que les tissus osseux n'ont pas perdu leur flexibilité. »

Quant aux études de caractère des différents suspects, les égyptologues sont agacés par le côté quelque peu romanesque des portraits. « Il s'agit de pures spéculations, déclare Claude Traunecker, égyptologue à

l'université de Strasbourg. Nous n'avons pas le moindre témoignage sur la mort de Toutankhamon, et très peu sur son entourage. Globalement, c'est une époque obscure. Nous savons en revanche qu'Ay fut un très pieux successeur de Toutankhamon. Il a d'ailleurs fait bâtir un mémorial avec la statue de Toutankhamon dans le temple de Karnak. Aurait-il poussé l'audace jusque-là ? » Et si l'on veut se prendre au jeu des enquêteurs, il semble qu'Horemheb ait été écarté un peu vite de la liste des suspects. Il succéda en effet à Ay. Il aurait pu tuer Toutankhamon sans parvenir à s'emparer du pouvoir cette fois-là...

## UNE CONVICTION À TOUTE ÉPREUVE

Et les appels au secours d'Ankhsenamon au roi des Hittites ? Ils sont tout simplement contestés par les spécialistes de Toutankhamon. Les événements qui suivirent la mort d'Akhenaton sont mal connus. Et, selon Marc Gabolde, égyptologue à l'université de Montpellier, Ankhsenamon ne serait pas l'auteur de la fameuse lettre, qui aurait été envoyée par une autre reine avant le règne de Toutankhamon. Il se peut en effet que le jeune souverain ait été précédé par deux autres pharaons qui auraient régné très peu de temps. « C'est vrai que pour de nombreux égyptologues, la provenance de cette lettre est douteuse, reconnaît Mike King. Mais la lettre n'est qu'un indice. Or, notre conviction quant à l'innocence d'Ankhsenamon repose sur tout un faisceau d'éléments, dessins, statues, cadeaux, témoignant de la bonne entente du couple. »

Apparemment, rien ne semble pouvoir entamer l'enthousiasme de Mike King et Greg Cooper. « C'est la première fois que les méthodes de la police criminelle sont appliquées à l'égyptologie et j'espère avoir fait la preuve qu'elles peuvent réellement apporter des faits nouveaux, conclut Mike King. D'ailleurs, Greg et moi sommes persuadés que cette collaboration ne s'arrêtera pas là. Après tout, nous poursuivons le même but que les égyptologues : trouver la vérité. Qui pourrait sincèrement nous le reprocher ? » ●

## SUSPECT N°4 : AY, premier ministre puis successeur de Toutankhamon

**POUR EN SAVOIR PLUS**
Le site Internet de Greg Cooper et Mike King : www.iois.net

# Toumaï
## Notre plus vieil ancêtre

Tchad, juillet 2002 : Michel Brunet annonce la découverte d'un crâne vieux de 7 millions d'années. Jamais nous n'étions remontés aussi loin dans notre arbre généalogique...

Par Carine Peyrières

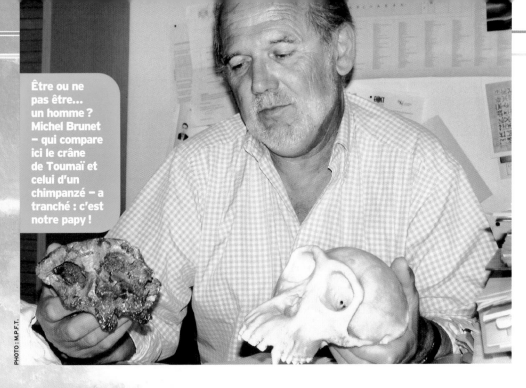

Être ou ne pas être… un homme ? Michel Brunet – qui compare ici le crâne de Toumaï et celui d'un chimpanzé – a tranché : c'est notre papy !

« **U**ne petite bombe atomique dans le monde de la paléontologie. » « La plus grande découverte fossile, depuis 75 ans ! » Depuis que Michel Brunet a présenté sa trouvaille aux scientifiques et aux médias, les éloges pleuvent. Certains qualifient même le paléontologue français de « héros ». Dix ans déjà qu'il s'obstine, arpentant les terres hostiles du Djourab (désert au nord du Tchad) à la recherche « du » fossile. Dans cette immensité plate, seulement troublée par les reliefs de quelques dunes éparses, où le soleil cogne et le sable fouette les mollets, l'os se mérite plus qu'ailleurs. Brunet a persisté, le voilà récompensé. Le désert lui a offert « le » fossile. Un préhumain vieux de 7 millions d'années. Rebaptisé Toumaï, « espoir de vie », dans la langue locale, il est le plus vieil ancêtre de l'humanité.

C'était le 19 juillet 2001. Une expédition de quatre hommes de la mission paléoanthropologique **(DICO)** franco-tchadienne, dirigée par Michel Brunet, a été envoyée en reconnaissance sur le site de Toros-Menalla, à 800 km au nord de N'Djamena. Au beau milieu du Djourab. Il est 7 heures du matin et, déjà, la chaleur est accablante. Les hommes progressent lentement les yeux rivés vers le sol. C'est Ahounta Djimdoumalbaye qui repère l'« os ». Un crâne. Quasi complet. Trésor inestimable et extrêmement rare ! Ce jeune étudiant de l'université de N'Djamena n'a pas failli à sa réputation de meilleur chasseur de fossiles de la mission.

Après sept mois de fouilles, deux fragments de mâchoires inférieures et trois dents provenant d'au moins cinq individus différents mais de la même espèce sont venus compléter le butin. Toumaï n'est alors qu'un tas d'os non identifiés. Certes, en paléoanthropologue averti, Michel Brunet sait qu'il a affaire à un individu de la famille de l'homme et des grands singes (gorilles et chimpanzés). Mais de qui est-il l'ancêtre ? Des King Kong ? Des Cheetah ? Ou de tous les lecteurs de SVJ ? C'est le début d'une véritable enquête scientifique. Mesurant la taille des dents, l'épaisseur de l'émail, explorant le moindre repli de la face ou l'usure des prémolaires, le scientifique analyse le fossile sous toutes ses coutures. Au bout de plusieurs mois, le verdict tombe. Toumaï est bel et bien un ancêtre de l'homme.

Les preuves de son humanité ? Bien sûr, la cervelle de l'animal n'est pas plus grosse que celle d'un chimpanzé (300-400 cm³). Mais comme le rappelle Michel Brunet, notre gros ciboulot, de 1400 cm³ en moyenne, est apparu il y a seulement 2 millions d'années… Et puis, il y a des indices frappants. Le visage de Toumaï par exemple. « En dessous du nez, il est relativement plat, montre Michel Brunet. Sa mâchoire est beaucoup moins projetée vers l'avant que chez les chimpanzés et les gorilles. Rien que par ce caractère, il se rapproche de la famille humaine ». Pour ceux qui ne seraient pas convaincus, il désigne le bourrelet sus-orbitaire du fossile (la barre osseuse qui surplombe nos mirettes). « Il est très proéminent. Un caractère typiquement masculin que l'on retrouve chez les gorilles et chez les fossiles de certains de nos ancêtres comme l'*Homo erectus* (1,5 million d'années). » Toumaï serait donc un mâle… Mais pas un grand singe. En effet, son bourrelet, continu et collé à la boîte crânienne est très proche de celui d'un préhumain (chez les singes il s'interrompt au-dessus du nez et forme un sillon qui le sépare du dessus du crâne). Puis il y a les canines. Petites et pointues… « Comme celle d'un gorille femelle ! » se sont empressés de répondre certains. « Mais pas comme chez un gorille mâle », a rétorqué Michel Brunet. En effet, si Toumaï est un mâle, sa dentition n'a rien de commun avec celle des grands singes. Leurs canines,

**DICO**

**Les paléoanthropologues** cherchent à reconstituer l'histoire des origines de l'homme en étudiant les crânes et les ossements fossiles de nos ancêtres.

## Enquête sur un fossile

**BOURRELET SUS-ORBITAIRE**
Presque absent chez nous. Chez les grands singes, ce sont deux bourrelets qui encadrent les deux yeux et présentent un large sillon qui les « détache » de la boîte crânienne. Chez Toumaï, il est continu et sans sillon et ressemble à celui d'un *Homo erectus*.

**L'ORIFICE** qui permet de faire le lien entre la moelle épinière et le cerveau est plutôt placé vers l'avant comme chez l'homme. C'est un indice (mais pas une preuve) de bipédie.

**MÂCHOIRE** Très courte et beaucoup moins projetée vers l'avant que chez les grands singes. Un indice de bipédie.

**CANINES SUPÉRIEURES** Très longues chez les grands singes, elles frottent sur les prémolaires inférieures et s'usent latéralement. Plus courtes, celles de Toumaï s'usent par la pointe comme chez les humains.

PHOTO : M.P.F.T.

**TAILLE.** Vu la taille de son crâne, Toumaï ne devait pas être plus grand qu'un chimpanzé (1,10 m).

beaucoup plus longues que les incisives, s'aiguisent sur leurs premières prémolaires générant des traces d'usure sur le côté des dents. Ce n'est pas le cas chez Toumaï dont les petites quenottes s'usent par la pointe, comme chez l'homme...

### Un illustre grand-père à deux ou quatre pattes ?

L'ancêtre était-il bipède ? Vu la position de l'orifice qui permet de faire le lien entre la moelle épinière et le cerveau, on peut l'imaginer. Chez les grands singes, qui avancent courbés, il est situé à l'arrière du crâne. Chez l'homme, qui se tient droit, il est placé à la verticale du sommet du crâne et à l'aplomb de la colonne vertébrale. Sur ce point-là, Toumaï se rapproche également de nous. Un indice en faveur de la bipédie, mais que seule la découverte d'os de membres pourra confirmer... Toumaï est donc bel et bien un pré-humain. Mais il ne ressemble à rien de connu. Pour lui, il a fallu créer une nouvelle espèce et un nouveau genre : *Sahelanthropus tchadensis*.

L'âge de cet illustre grand-père ? Là encore ce n'est pas une mince affaire. Contrairement aux sites d'Afrique de l'Est, dans le Djourab, les chercheurs n'ont trouvé aucune trace d'éléments volcaniques, essentiels pour dater les terrains qui abritent les fossiles. Sous le sable, il n'y avait que des os. Mais quels os ! Les restes de près de 700 vertébrés appartenant à 42 espèces différentes. Une mine d'informations. En comparant les caractères de ces animaux avec ceux de fossiles identiques, découverts dans les zones datées d'Afrique de l'Est, Patrick Vignaud de l'université de Poitiers a pu évaluer l'âge du fossile. Avec près de 7 millions d'années, il est le plus vieil ancêtre de l'humanité. De quoi fasciner les paléoanthropologues de la planète !

**Grain à grain...** Dans le Djourab, minutie et patience sont indispensables pour découvrir une dent, un os... Mais l'entêtement paye : ici en 1995, l'équipe de Michel Brunet avait déjà découvert la mâchoire d'Abel, un australopithèque de 3,5 millions d'années.

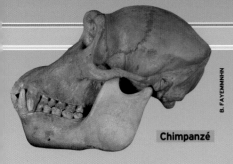

**Chimpanzé**

B. FAYEMMNHN

**BOÎTE CRÂNIENNE** Le volume du cerveau de Toumaï n'est guère plus important que celui d'un chimpanzé. Pourtant il s'agirait bien d'un pré-humain : notre gros ciboulot est apparu seulement il y a 2 millions d'années.

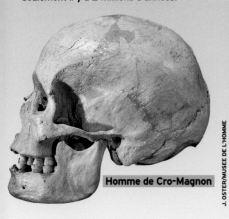

**Homme de Cro-Magnon**

J. OSTER/MUSÉE DE L'HOMME

En effet, vu son âge, il serait très proche d'une période-clé de l'évolution humaine. Celle où un groupe de primates aujourd'hui disparu aurait évolué dans deux directions différentes. Donnant naissance aux ancêtres des chimpanzés d'une part et à ceux des humains... Récemment, des généticiens avaient fixé cette séparation entre 5,5 et 7 millions d'années. La présence de Toumaï la ferait reculer aux alentours

de 7 à 8 millions d'années. Le nouveau fossile serait un des premiers représentants de la lignée humaine.

## Les mystères de l'Ouest

Plus surprenant encore, le lieu de la découverte... Jusque-là, la quasi-totalité des fossiles pré-humains ont été trouvés au sud et à l'est de la vallée du Rift. Pour les paléontologues, cette zone, notamment le Nord-Est africain qui abrite les squelettes les plus anciens, est considérée comme le berceau de l'humanité. Selon Yves Coppens, paléontologue français et auteur de la théorie de l'« East Side Story », cette localisation serait la conséquence d'une faille (l'actuelle vallée du Rift) qui en déchirant l'Afrique en deux, il y a 8 millions d'années, aurait modifié les conditions climatiques. À l'ouest plus arrosé et riche en forêts denses, seraient nés nos cousins gorilles et chimpanzés, arboricoles. À l'est plus aride, la savane aurait remplacé la forêt. Pour trouver à manger, des primates seraient descendus de leurs arbres et auraient appris à marcher : nos ancêtres. Une bien belle histoire... Mais qui ne résiste pas à Toumaï, le plus lointain d'entre eux, découvert à plus de 2 500 km à l'ouest du rift.

L'homme serait-il né dans la forêt de l'ouest au milieu des gorilles ? Pas forcément. À partir des données recueillies sur les animaux, Patrick Vignaud a pu reconstituer le cadre de vie de Toumaï. Et là, surprise ! Le désert du Djourab

était alors un immense complexe lacustre de plus de 400 000 km². Autour du lac et des rivières (domaines des gros poissons, tortues, crocodiles et hippopotames), des îlots de forêts (paradis des singes, éléphants et girafes) alternaient avec des parcelles de savane où gambadaient antilopes et hipparions (cousins disparus du cheval). Plus loin, le désert. Un environnement très proche de celui de l'Est africain à la même époque. Il n'y a donc aucune raison pour que l'humanité n'y ait pas aussi planté ses racines.

Et si pendant longtemps on n'a pas trouvé de fossiles d'hominidés à l'ouest du rift, c'est simplement parce que personne ne les a cherchés... Après la découverte de Lucy et des premiers pré-humains, du côté de l'Éthiopie et du Kenya, tous les paléontologues, se sont rué sur ces terres « fertiles » — en 70 ans elles ont livré plus de 3 000 fossiles d'hominidés ! — et faciles à fouiller. Dans les fossés du rift, en effet, les mouvements des plaques tectoniques ont créé d'immenses coupes naturelles dégageant sur une même verticale rocheuse des sites de fouilles datant de différentes époques. Plus hostile, moins accessible, le désert tchadien a longtemps été négligé. Dans cette étendue dont les dunes forment l'unique relief, les paysages évoluent au gré de vents violents. Qui, atteignant parfois plus de 100 km/h, déplacent les dunes (près de 5 m par jour, 20 m en cas de tempête) et creusent (4 cm par an) le socle de grès sur lequel elles s'élèvent, révélant des zones de terrains vieilles de plusieurs millions d'années et les fossiles enfouis. Ceux-ci sont éparpillés sur des zones de plusieurs kilomètres carrés que les chercheurs explorent mètre carré par mètre carré et surtout sans perdre de temps. D'allié, le vent peut devenir ennemi détruisant et recouvrant de sable les fossiles qu'il vient de dégager... En dix ans, les efforts de Michel Brunet ont été deux fois récompensés. En 1995, avec la mâchoire d'Abel, un australopithèque de 3,5 millions d'années découvert aussi dans le désert du Djourab. Aujourd'hui, avec Toumaï.

Le doyen de l'humanité nous révèlera-t-il un jour tous ses secrets ? Déjà, l'équipe est repartie sur le site, à la recherche d'autres pièces qui compléteront le squelette, des membres par exemple. Indispensables pour confirmer la bipédie de Toumaï... Quant à Michel Brunet, il a déjà tourné la page. S'il repart en octobre 2003, ce sera pour un nouveau challenge... Trouver plus vieux encore ? ●

Remerciements à Michel Brunet et Patrick Vignaud du laboratoire de géobiologie, biochronologie et paléontologie humaine de l'université de Poitiers.

CARTOGRAPHIE : J. JUNGERS/DESSIN : CHRISTIAN JEGOU

| | |
|---|---|
| **Homo ergaster** 1,8 millions d'années | ◗ **Ardipithèques** entre 5,8 et 4,4 millions d'années |
| **Homo habilis** entre 3 et 2 millions d'années | ◗ **Orrorin tugenensis** 6 millions d'années |
| **Australopithèque** entre 4 et 3 millions d'années | ◗ **Sahelanthropus tchadensis** 7 millions d'années |

**es berceaux e l'humanité**

s plus vieux pré-humains t été trouvés pour la upart à l'est de la vallée Rift. Cette immense lle de 6 000 km de long 50 km de large fissure frique depuis 8 millions nées.

LIBYE
EGYPTE
TCHAD
Toumaï
SOUDAN
ERYTHREE
VALLÉE DU RIFT
ETHIOPIE
SOMALIE
OUGANDA
KENYA
Lac Victoria
TANZANIE

# PRÉDATEURS/PROIES

L'appel du ventre,
vous connaissez ?
Mettez-vous dans
la peau d'un ours,
d'un requin ou d'un boa.
Imaginez que votre repas
possède des pattes pour se
déplacer, des yeux, des oreilles
et un pif pour vous localiser,
et surtout un seul but : ne pas finir
dans votre estomac ! Et vous comprendrez
pourquoi les prédateurs consacrent une bonne
partie de leur temps à la recherche d'un repas...

DOSSIER RÉALISÉ PAR CARINE PEYRIÈRES

# LE COMBAT POUR LA SURVIE

# UN CHASSEUR À L'AFFÛT

**L'un est affamé, l'autre ne veut pas se faire manger. Entre le chasseur et sa cible, la partie de cache-cache est lancée.**

Grâce à son système de navigation par écholocation, la chauve-souris peut localiser avec précision sa future proie (ici une petite grenouille).

HOA QUI / JACANA

**P**remière étape : trouver sa proie. Il y a ceux qui y vont à tâtons. Les poissons-chats, par exemple, qui laissent traîner sur le fond de la rivière leurs moustaches charnues garnies de centaines de milliers de papilles gustatives jusqu'à ce qu'elles heurtent un gros ver caché sous la vase. Puis il y a ceux — la majorité — pourvus de sens sur-aiguisés qui repèrent leur proie à distance. Le faucon crécerelle a des yeux perçants qui lui permettent de distinguer un rongeur ou un scarabée en mouvement à plus de 30 m de hauteur ! Mieux : il détecte dans l'ultraviolet les traces d'urine dont sa proie favorite, le campagnol, arrose copieusement son territoire ! Chasseurs nocturnes, les chauves-

LACZ / SUNSET

Avec leurs yeux perçants, les rapaces repèrent leurs proies à distance.

souris utilisent un système de navigation par écholocation. Tout en volant, elles émettent des sons qui leur sont réfléchis dès qu'ils rencontrent un obstacle. Traité par le cerveau, cet écho leur permet de localiser et de déterminer avec précision la nature (taille, consistance) de l'obstacle ou de la proie. Champions ès odorat, les grands requins flairent la présence de sang à plus de 1 km à la ronde ! Quant aux serpents, ils sentent « en stéréo » par leurs narines et leur langue hypersensible qui, dans un va-et-vient incessant, prélève des molécules goûteuses et odoriférantes du sol et de l'air environnant.

Et comme si cinq sens n'étaient pas suffisants, la nature a doté certains chasseurs de capteurs totalement inédits. Tels les détecteurs de chaleur des crotales. Sensibles à des variations de température de 0,003 °C, ils orientent le chasseur vers ses proies à sang chaud. La truite, elle, comme de nombreux poissons prédateurs, repère ses victimes grâce à sa ligne latérale. Ce canal, qui court le long des flancs, est bourré de cellules réceptrices qui détectent la moindre perturbation des eaux alentours. Qu'un petit poisson approche, et elles envoient directement les informations au cerveau qui en déduit la taille, la direction et même la vitesse de l'arrivant ! Quant aux poissons-éléphants, ils identifient leur proie grâce à une sorte de radar électrique. Tout en fouillant la vase à la recherche de petits vers, ils produisent avec la multitude de petites batteries qui garnissent leur queue de petites décharges créant autour d'eux un champ électrique. Dès qu'il croise un morceau de bois, une pierre ou un animal, ce champ est perturbé et le poisson, grâce à des capteurs situés au niveau de sa tête, est informé de la nature et de la localisation de l'objet. S'il s'agit d'un ver bien gras, il s'y précipite.

## DES PROIES SUR LE QUI-VIVE

Face à cette avalanche de caméras, micros et détecteurs en tout genre, les proies doivent être en alerte perpétuelle. Ouvrir grand leurs yeux, leurs oreilles et leurs narines afin de

Pendant que les autres membres de la communauté mangent, un groupe de suricates veille. Chacun sa direction, c'est le meilleur moyen de ne pas se faire surprendre par un prédateur.

A DEGRE / HOA QUI / JACANA

Au milieu des branches, aviez-vous repéré le podarge australien ? Champion du camouflage, cet oiseau nocturne au plumage couleur écorce passe ses journées immobile sur une branche de bois mort.

Cette feuille rabougrie et toute grignotée est en fait une sauterelle pseudophylle ! Qui espère échapper ainsi non seulement aux carnivores, mais aussi aux amateurs de feuilles grâce à son aspect peu ragoûtant...

repérer l'ennemi avant qu'il ne les ait vues, et en profiter pour se mettre hors d'atteinte. Les mantes religieuses mâles, par exemple, portent sur leur abdomen des oreilles qui les avertissent lorsqu'elles sont dans la ligne de mire des ultrasons produits par une chauve-souris. Leur réaction est immédiate ! À la première vibration perçue, le mâle pile en plein vol, étend ses membres en position « Superman », se retourne et plonge à plein gaz afin de sortir du champ de détection de son ennemi. Si malgré tout la chauve-souris se rapproche, l'insecte modifie sa trajectoire, partant en spirale. Enfin, si le prédateur ne l'a toujours pas lâché, il termine par un atterrissage forcé. Petite et robuste, la mante y survivra. La chauve-souris, elle, ne s'y risquera pas... Autre stratégie : faire le guet. Chez les suricates, de petites mangoustes du désert, les adultes se relaient au poste de sentinelle. Perché sur une souche ou une termitière, le gardien scrute l'horizon pendant que ses compagnons ripaillent. Au moindre danger, il crie. Un grondement agressif avertit d'un danger imprécis, un aboiement signale un guépard, un cri d'alarme particulier annonce un rapace, précipitant tout le monde dans le terrier.

Et si l'on ne peut fuir ou se cacher, on a tout intérêt à se faire discret... Première tactique : se taire, ne plus bouger. Sachant que son principal prédateur — le rapace — est surtout sensible aux mouvements, le lièvre, quand il se sent menacé, se fige et ne déguerpit qu'au dernier moment. Autre stratégie : disparaître dans son environnement. Le lièvre

variable américain, par exemple, change de couleur selon les saisons : blanc lorsque la neige s'installe, il redevient brun en été. Ses cousins du désert, comme le lièvre du Sahel, adoptent toute l'année des habits couleur sable. Plus perfectionnistes, certains, pour s'effacer, vont jusqu'à mimer les éléments qui les entourent. Un effet sosie bluffant ! Ce que vous aviez pris pour un rameau hérissé d'épines n'est en réalité qu'une branche colonisée par des punaises du Costa Rica. La liane vert tendre qui pend des frondaisons ? Un serpent. La feuille parsemée de taches de moisissure et grignotée par les chenilles ? Une sauterelle pseudophylle (*voir photo ci-dessus*)...

## MONDE ANIMAL

# STRATÉGIES D'ATTAQUE

**La jolie croupe d'une gazelle, les ailes tendres d'un papillon, le frétillement prometteur d'un banc de harengs. Miam ! quel repas ! Mais avant de s'en régaler, reste à l'attraper.**

La détente fulgurante de la langue du caméléon n'a laissé aucune chance au criquet.

DOVNER / OSF / BIOS

Le plus simple, si on en a les moyens, c'est de prendre sa proie de vitesse. Le faucon pèlerin est le prédateur le plus rapide du monde animal. Lorsqu'il repère un pigeon, il plonge en piqué, fondant sur sa cible à près de 300 km/h. À cette vitesse-là, le choc est mortel. Le pauvre volatile succombera certainement avant d'avoir eu le temps de voir son agresseur.

Si la vitesse est une arme redoutable, seule elle n'est pas toujours efficace. Même le guépard, le quadrupède le plus rapide de la planète avec ses pointes à 110 km/h, est susceptible de se faire distancer par un troupeau d'antilopes.

Son handicap : l'endurance. À l'image de nombreux félins, il tire la langue au bout de 300 m de course ! Moins véloces (80 km/h en pointe), mais infatigables, les gazelles ont de grandes chances de distancer le prédateur s'il est à plus de 50 m de distance. Pour que le félin ne reparte pas le ventre creux, il doit donc jouer sur l'effet de surprise. Camouflé dans les hautes herbes, il s'approche de sa cible avec vivacité quand elle ne le regarde pas, se fige lorsqu'elle lève la tête, jusqu'à parvenir à portée de frappe. Et là s'élance dans une attaque foudroyante. Surprise, la gazelle n'aura alors guère le temps de réagir.

Hélas, tout le monde ne possède pas la vivacité du guépard ou du faucon pèle-

rin. Alors, plutôt que de risquer de se faire distancer par leur proie, certains préfèrent chasser en groupe. C'est ainsi que les chimpanzés de Côte d'Ivoire traquent le colobe. Seuls, ils sont incapables de se saisir de ces petits singes très vifs. Pour les prendre comme dans une nasse, ils se regroupent donc à plusieurs mâles : un meneur pousse la proie vers le sommet des arbres, des vigiles bloquent les issues et l'empêchent de s'échapper vers les arbres voisins ; enfin, des chasseurs coursent le colobe et le poussent dans les pattes d'un chimpanzé en embuscade. Autres adeptes de la coopération : les lycaons. Pour épuiser leur proies — gnous ou gazelles — ces chiens des savanes se relaient à la course. Véritables marathoniens, ils peuvent tenir ainsi durant près de 5 km !

## L'ART DU CAMFOULAGE

S'essouffler à courir derrière son repas ? À quoi bon quand il suffit d'un peu de patience et de discrétion pour qu'il vous tombe tout cuit entre les pattes... Expertes dans l'art du guet-apens, les mantes religieuses de Bornéo peuvent attendre des heures durant, parfaitement immobiles, sur une orchidée. Avec leur membres en formes de pétale, leur abdomen semblable à un bouton de fleur et leur corps qui en prend la teinte, les papillons ont bien du mal à les distinguer des orchidées. Du moins jusqu'à ce qu'ils aient tenté d'en puiser le nectar... Mais là, il est déjà trop tard. Rapide comme l'éclair, la mante vorace aura tôt fait de transformer le dîneur en dîner.

Une orque déferle sur la plage. À la vague suivante, elle repartira avec dans sa gueule un bébé otarie.

CARVARDINE / STILL / BIOS

FLPA / SUNSET

SCHULZ / BIOS

D'un jet d'eau, le poisson archer est capable de déséquilibrer sa victime et de la faire tomber dans l'eau.

Grâce à leur bec asymétrique qu'ils laissent traîner sur l'eau, les becs-en-ciseaux happent les poissons en surface.

et attend ses proies. Si l'une d'elles chute, il la bombarde de sable jusqu'à ce qu'elle tombe droit dans ses mandibules...

Orfèvres en la matière, les araignées déclinent le tissage de soie en une multitude de pièges originaux. Ainsi, pour se gaver d'insectes qui déambulent sur le sol, l'*Arachnea riparia* tend très fort des filaments de soie poisseux entre un buisson et la terre. Lorsqu'un animal s'englue dans l'un de ces fils, il se débat tant et si bien que le lien se décroche et avec la tension se relâche comme un élastique. Propulsé en l'air, le gibier reste suspendu jusqu'à ce que l'on vienne le déguster. L'araignée à bolas d'Australie produit et laisse pendre à l'une de ses pattes un filament au bout duquel elle ajoute une boulette de « colle forte ». Lorsqu'un papillon passe à proximité, elle fait tournoyer la boulette à la manière d'une fronde pour toucher sa victime et l'engluer.

Mais le piège n'est pas l'apanage des petits. L'immense baleine à bosse, durant l'été, doit faire d'abondantes provisions de krill. Son but : accumuler suffisamment de réserves nutritives pour résister à la pénurie de l'hiver. Pour cela, elle doit avaler un maximum de ces minuscules crustacés. Si dans le banc qu'elle a repéré la densité de proies est faible, elle plonge en profondeur, puis remonte lentement tout en expulsant de l'air sous forme de bulles et en tornoyant autour du banc. Au fur et à mesure qu'elle rejoint la surface, les cercles se resserrent. Comme les bulles

PFLETSCHINGER / BIOS

Quasi invisible sur son pissenlit, l'araignée crabe attend sa proie. Gare à l'insecte imprudent qui viendrait se régaler de nectar !

Adepte du moindre effort, la tortue alligator attire ses proies jusque dans sa gueule. Tapie au fond de l'eau, elle agite une langue rosée dont la fourche ressemble à deux vermisseaux particulièrement appétissants pour les poissons. Dès qu'ils s'apprêtent à mordre, la tortue ouvre grand sa gueule, créant un appel d'eau qui engloutit le menu fretin.

Patience, discrétion, certes, mais aussi ingéniosité ! Pour remplir leur gamelle, certains fabriquent des pièges de leurs petites pattes. Le jeune fourmillon creuse un puits conique au fond duquel il s'enterre

# MONDE ANIMAL

Dissimulé sous l'eau, immobile, le crocodile attend patiemment qu'un buffle ou un gnou vienne se désaltérer pour l'agripper de ses puissantes mâchoires.

WINFRIED WISNIEWSKI

moins costauds chez la méduse, ils sont décorés chacun de 750 000 cnidoblastes. Véritables bottes secrètes, ces cellules sont garnies d'un petit cil contenant une capsule à venin dans laquelle trempe un harpon. Dès qu'une proie effleure le cil, la capsule explose, libérant le harpon qui se fiche dans la chair de sa cible et y injecte la toxine paralysante. Immobilisée, solidement accrochée à l'hameçon (ou plutôt aux dizaines de milliers d'hameçons qui ont été éjectés simultanément) et donc aux tentacules, la proie est conduite jusqu'à la bouche quasiment sans efforts.

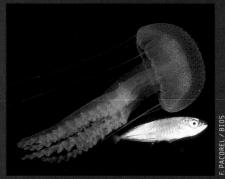

F. PACOREL / BIOS

Avec leurs tentacules munis de minuscules harpons empoisonnés, les méduses peuvent saisir des proies conséquentes.

chassent le krill, les crustacés se retrouvent petit à petit rassemblés au centre de ce cercle. Arrivée en surface, la baleine n'en fera qu'une bouchée, ingurgitant d'un coup des centaines de kilos de ces minuscules crevettes !

Si la baleine n'a qu'à ouvrir grand sa gueule pour ingurgiter son repas, les prédateurs ont en général beaucoup plus de mal à maitriser leur proie. Notamment si elle est grosse et remuante ! Pour ce faire, la nature les a dotés d'armes diablement efficaces. Chez les oiseaux, le bec peut prendre une multitude de formes adaptées au mode de prédation de leur propriétaire : long et pointu chez l'anhinga, qui harponne les poissons d'un coup sec, il est géant et en forme de cuillère chez les becs-en-ciseaux, qui le laissent traîner au ras des vagues pour cueillir leurs proies au passage.

## JET D'EAU MEURTRIER

Chez les caméléons, c'est à la léchouille que l'on chasse. Repliée en accordéon au repos, la langue se détend comme un ressort dès que le chasseur est à bonne distance de sa cible, et frappe avec précision. Scotchée sur l'appendice gluant, la proie est conduite jusqu'à la bouche du chasseur. Le tout en moins de 4/100 de seconde ! Et quand, comme le poisson archer, on ne possède pas d'arme, il est toujours possible d'en inventer. Ainsi, l'animal bombarde ses victimes avec un jet d'eau. Véritable Robin des marais, il est capable de faire

L. M. STON/NPL/JACANA

Le bec du pélican est une véritable épuisette. Équipé d'une poche extensible, il peut capturer plusieurs poissons à la fois.

tomber un insecte posé sur la végétation du rivage jusqu'à 2 m de distance ! Et dans le même temps d'évaluer avec précision le point où il va atterrir sur l'eau pour s'en saisir aussitôt.

Sous les flots, les tentacules sont rois. Ils se déploient sitôt que la pieuvre est en face de sa proie. Solidement arrimés par de leurs multiples ventouses, ils s'enroulent, emprisonnent leur cible et la conduisent encore vivante jusqu'à la gueule de la chasseresse. Plus longs et sacrément

Paralyser son repas, surtout s'il est de bonne taille, avant de le consommer, est une stratégie adoptée par de nombreux animaux. Pour ce faire, les guêpes et les serpents injectent un venin à leur proie. La piqûre d'*Ampulex compressa*, une guêpe, a un effet étonnant sur le cafard. Atteint à la tête, il se met à se laver de façon obsessionnelle (apparemment, la piqûre activerait le circuit nerveux à l'origine de ce comportement) pendant près d'une demi-heure ! De quoi laisser à la guêpe le loisir d'achever sa victime.

Mais des bruits très forts ou des décharges électriques peuvent également se révéler très efficaces pour estourbir son adversaire. Lorsqu'un groupe de dauphins se trouve face à un banc de harengs, ils les bombardent de bruits assourdissants, à tel point que, désorientés et complètement groggies, les harengs se laissent avaler sans réagir. Quant aux crevettes cardons, elles génèrent, en refermant leurs pinces, de grosses bulles dont l'explosion crée une onde de choc susceptible de mettre au tapis de petits crabes et crevettes. Champion ès knock-out : le gymnote. En chasse, ce poisson du fleuve Amazone est capable d'infliger des décharges de près de 600 V !

Au milieu d'un banc de plusieurs centaines de poissons qui fuient dans toutes les directions, le requin aura bien du mal à choisir sa proie.

# COMMENT SAUVER SA PEAU

**Horreur ! le chasseur n'est qu'à quelques pas... Fuite éperdue, combats acharnés, plans diaboliques : des proies qui ne baissent pas les bras.**

Chasseur en vue ! Lorsque le danger est proche, le plus sage c'est encore de prendre ses jambes à son cou, sans demander son reste... Mais attention, pas n'importe comment. Se faire la malle, c'est tout un art ! Où il ne suffit pas d'avoir un turbo dans les gambettes pour sauver sa peau ! Repéré par un rapace, le lièvre fuit en entrecoupant sa course de zigzags sou-

Regroupés en un cercle défensif, les bœufs musqués protègent leurs arrières, ne présentant qu'un rempart de cornes suffisamment dissuasif pour décourager les loups.

dains et irréguliers. Un bon moyen de distancer son attaquant qui, surpris et moins agile, ne sera pas en mesure de changer de direction aussi vite que lui. Poursuivi par un thon ou un requin, l'exocet (ou poisson volant) se propulse hors de l'eau et exécute des vols planés qui peuvent le mener jusqu'à 200 m plus loin. Incapables de le suivre sur ce terrain aérien, les chasseurs ne savent pas non plus où et à quel endroit il va atterrir ! Quant au basilic, un petit iguane d'Amérique centrale, débusqué, il quitte la terre ferme et se met à courir sur l'eau !

Si l'on ne parvient pas à semer son agresseur, une des solutions consiste à s'abriter en lieu sûr. Le chuckwalla, un lézard du désert, se précipite dans la première fente

rocheuse qu'il rencontre ; se cramponnant avec ses doigts, il gonfle à tel point qu'il est impossible de l'en extirper. Traqués par un oiseau de proie, les rongeurs plongent dans leur terrier. Inaccessibles aux volatiles, ils sont également protégés des mammifères chasseurs, trop gros pour les suivre... Quant à la tortue, mollassonne, elle ne fait même pas un pas. Effrayée, elle plonge tête et membres dans sa carapace. Impossible de l'en déloger !

Autre alternative : tout mettre en œuvre pour faire renoncer son agresseur. Comment ? En lui montrant par exemple que l'on est le plus fort. Attaquées par un groupe de lycaons, les gazelles springboks adoptent un comportement pour le moins étrange. Plutôt que de filer, elles se lancent dans une série d'acrobaties, bondissant jusqu'à 3 m de hauteur. Celles qui sautent le plus haut sont celles qui sont les plus robustes et qui donc seront les plus difficiles à attraper. Un message adressé aux lycaons qui se détourneront vers les bêtes les plus faibles, évitant à la troupe de s'épuiser dans une course de fond.

D'autres font miroiter leur corpulence, leurs cornes, leurs griffes et leurs dents. Les loups attaquent rarement un gros mâle élan. Agressé, celui-ci n'hésite pas à charger, projetant parfois en l'air son attaquant d'un coup de sa ramure gigantesque. Assaillis par ces mêmes loups, les bœufs musqués se regroupent en cercle, les femelles et les petits au centre. Tête baissée, flancs contre flancs, ils protègent leur arrière-train (les loups attaquant par derrière), n'offrant aux chasseurs qu'un rempart de cornes menaçantes, suffisamment dissuasif pour faire fuir l'ennemi. En effet, plutôt que de subir la moindre blessure, les prédateurs préféreront se retirer. Une mauvaise plaie, une blessure qui s'infecte pourrait les empêcher de chasser. Or il leur faut attraper du gibier pour survivre...

## UNE ARMURE ET DES FLÈCHES

Faire reculer son ennemi, d'accord. Mais c'est plus facile lorsque la nature vous a doté d'une armure intégrale. Même les lions renoncent sous la menace du porc-épic africain! Attaqué, le rongeur dresse ses piquants (jusqu'à 50 cm de long!) en éventail. Malheur à ceux qui, trop affamés, persistent. La boule de piques fait volte-face et charge brusquement à reculons. Les épines, qui se détachent facilement, se plantent durablement dans le corps de l'agresseur, laissant des blessures profondes qui s'infectent et peuvent parfois provoquer la mort. De la même façon, les homards, protégés par leur solide carapace, n'ont aucun prédateur (à part l'homme) en dehors de leurs périodes de mue!

Quant au tatou à trois bandes, si petit soit-il, il ne s'en laisse pas conter! Garnie d'une succession de plaques osseuses articulées, la peau de son dos lui fait une véritable cuirasse. Surpris par un coyote, il s'enroule en une boule presque parfaite, emboîtant le haut de sa tête et de sa queue comme les pièces d'un puzzle. Ultime raffinement, il attend le dernier moment pour se refermer sur lui-même, laissant des interstices entre les plaques. Que le

Un serpent? Non: une chenille inoffensive particulièrement douée pour l'imitation. Attaquée, elle se soulève et se tord, révélant sur son ventre la copie parfaite d'une tête de vipère!

D. KRASSEMAN / DRK

En quelques secondes, le tatou à trois bandes s'est métamorphosé en un ballon cuirassé.

NAYLOR L. / PHR / JACANA

chasseur vienne y fourrer sa truffe ou sa patte, il resserre brusquement les bandes comme un piège d'acier. De quoi refroidir le curieux pour un moment!

Les mieux protégés ne sont pas toujours ceux que l'on croit. Prenez les petites grenouilles dendrobates. Rouge cerise, bleu turquoise ou jaune citron, elles ont tout de délicieuses gourmandises. Pourtant, nulle bestiole ne se risquerait à les goûter: les glandes de leur peau distillent un poison parmi les plus dangereux du règne animal. Un gramme de la toxine sécrétée par la mignonne kokoï suffirait à tuer 100000 hommes! Avec de tels arguments, les belles n'ont même pas besoin de se camoufler. Elles s'affichent même, à dessein, certaines ainsi d'être identifiées comme un déjeuner mortel!

En effet, entre les prédateurs et leurs proies existe un langage codé. Des couleurs vives, une odeur ou un bruit désagréable, un comportement agressif sont autant de signaux lancés par la proie censés avertir le

chasseur du danger qu'il court à la croquer. De quoi éviter des confrontations inutiles! Ainsi le serpent à sonnette, très venimeux, signale sa présence en agitant le bout de sa queue qui émet un bruit de crécelle. Quant à la moufette (une cousine du putois), déjà pourvue d'une livrée rayée et tachetée, elle multiplie les mises en garde. Menacée, elle frappe violemment le sol de ses pattes antérieures, puis se balance d'avant en arrière. Si son attaquant n'a toujours pas compris, elle adopte la position du poirier et avance dans sa direction. S'il est toujours là, tant pis pour lui! Retombant sur ses quatre pattes, elle relève sa queue et l'arrose copieusement d'un jet très irritant et pestilentiel: l'odeur tenace résiste plus d'un an!

## COUP DE BLUFF

Ce code tacite entre chasseur et chassé a été brillamment repris à leur compte par d'autres bestioles. Pas dangereuses pour un sou, celles-là! Mais malignes comme pas deux... En plagiant la tenue éclatante ou

Attention danger! Les couleurs vives de cette grenouille dendrobate annoncent qu'elle est empoisonnée.

HOA QUI / JACANA

les mimiques de leurs collègues venimeux, elles espèrent que les prédateurs, méfiants, hésiteront à les dévorer. Et ça marche! En imitant la tenue jaune et noire de la guêpe à la piqûre douloureuse, le syrphe, une sorte de mouche dépourvue de dard, échappe aux oiseaux. Quant au cafard rouge, comestible, il se pare de points noirs pour ressembler à la coccinelle au sang empoisonné.

Pour repousser leurs agresseurs, d'autres n'hésitent pas à leur filer la frousse... en se déguisant en un dangereux prédateur. Pro

du transformisme, la pieuvre mime imite plus d'une dizaine d'espèces différentes, souvent dangereuses. Les papillons arborent, sur la face interne de leurs ailes, de magnifiques ocelles. Dévoilées au dernier moment (le papillon ouvre brutalement ses ailes à la face du prédateur), ces grosses taches rondes peuvent être prises pour les yeux écarquillés d'un oiseau de proie.

Mais pour faire peur, le meilleur modèle reste encore le serpent : rare sont les espèces animaux qui peuvent le croiser sans

trembler. Ainsi, lorsqu'ils sont agressés (notamment dans un lieu obscur), de nombreux mammifères (le chat par exemple) crachent violemment et sifflent pour l'imiter. Le cou-coupé, un oiseau africain, se lance dans une danse étrange quand il est surpris en train de couver : camouflé par la pénombre de son nid profond, il ondule du corps et de la tête en regardant fixement son adversaire et siffle à la manière des serpents. Quant à la chenille du Costa Rica, elle surprend par sa queue, triangulaire, affublée d'une mâchoire crispée et d'yeux fendus qui ressemblent à s'y méprendre à la tête d'une vipère... Et si l'on ne possède pas de talent d'imitateur? Rien n'interdit de jouer les caïds. En se faisant passer pour plus costaud et effrayant que l'on est. Face au danger, le grand duc gonfle ses plumes, le scinque d'Australie fait surgir brusquement à la face de son adversaire une horrible langue bleue et pointue, les scarabées agitent leur énorme pince et le crapaud cornu projette du sang de ses paupières...

Ces pitreries, cependant, ne durent qu'un temps. Ce ne sont pas, en effet, une carrure et des armes de carnaval qui vont mettre en déroute un chasseur. En réalité, ce qui importe, c'est l'effet de surprise. Que l'agresseur recule, relâche son attention un instant, et ce sont de précieuses secondes gagnées pour le comédien. Qui en profitera pour se mettre définitivement à l'abri!

# LE DERNIER ROUND

### Enfin quelque chose entre les pattes ! Avant de se régaler de sa cible, il faut l'achever. À chacun sa méthode...

JOHN DOWNER PRODUCTIONS - NATUREPL.COM

Un éclair blanc. Puis un nuage rouge sang. L'éléphant des mers n'a rien vu venir. Fondant à plus de 80 km/h, le grand requin blanc ne lui a laissé aucune chance. En un coup sec, ses puissantes mâchoires (pression de 3 t/cm²) se sont refermées sur sa victime, enfonçant profondément dans sa chair des rangées de dents triangulaires et tranchantes. Secouant la tête en tous sens, il a fini par arracher un énorme morceau, provoquant une hémorragie telle que l'animal succombe.

Véritables machines à tuer, les aigles comptent également sur leur force et la

puissance de leurs armes pour saisir et poignarder quasi instantanément leurs victimes. Leurs serres, terminées par de longs ongles recourbés et acérés, se referment sur leur proie avec une force incroyable. Mais c'est l'ongle du pouce qui porte le coup fatal. Plus long que les autres (6-7 cm), il perce la victime prisonnière des serres et s'enfonce jusqu'aux organes vitaux.

Après les éventreurs, les étouffeurs... Les lions plantent leurs crocs au niveau de la gorge ou du museau des gazelles et maintiennent la prise jusqu'à ce qu'elles meurent étouffées. Le crocodile du Nil noie ses plus grosses victimes. En embuscade près

Pour ouvrir la carapace de la tortue, l'aigle l'emporte en l'air entre ses serres, puis la laisse tomber sur des pierres.

# MONDE ANIMAL

Par la seule puissance de ses anneaux, cette couleuvre a réussi à étouffer ce lézard des laves. Reste maintenant à l'avaler en un seul bloc et à le digérer !

B. DAVIDSON/NPL / JACANA

des points d'eau, il attend qu'un buffle, un zèbre ou une antilope vienne s'y abreuver. Puis, en une attaque foudroyante, attrape sa proie par la patte ou le museau et l'entraîne sous l'eau où il la retient jusqu'à ce qu'elle succombe. Mais les champions de l'asphyxie sont certainement les serpents constricteurs. Après avoir immobilisé leur proie avec leurs dents, ils enroulent leur corps autour d'elle. Ils ne la broient pas, mais exercent une pression suffisante pour l'empêcher de respirer. Par la seule puissance musculaire de ses anneaux, l'ana-

conda géant maîtrise et tue des caïmans et d'autres animaux volumineux tels des cerfs, des cochons ou des cabiais.

## DAGUES EMPOISONNÉES

C'est également chez les reptiles que se recrutent les plus célèbres empoisonneurs ! Les serpents venimeux (ils ne le sont pas tous) se reconnaissent à leurs crochets, des dents incurvées le long desquelles s'écoule un venin mortel. Celui du cobra royal peut

occire un éléphant en seulement quatre heures ! Quant aux varans de Komodo, les lézards les plus imposants au monde, mieux vaut se tenir loin de leurs crocs. À trop mordre de charognes, ils ont la gueule infestée de bactéries très virulentes. Gare ! Une seule morsure et c'est l'infection, puis la mort assurée.

Enfin, quand on ne dispose pas d'armes aussi efficaces ou quand la proie est décidément trop volumineuse, la meilleure stratégie consiste à cumuler les forces. À plusieurs, les orques (9 m de long) viennent à bout de baleines franches de 20 m de long ! Les lycaons (des chiens des savanes) comptent parmi les plus efficaces machines à tuer d'Afrique, traquant même des gnous (deux fois leur poids) et de grosses antilopes (trois fois leur poids). Sitôt la bête isolée, c'est la curée ! En meute, ils se jettent sur leur proie et la dépècent prestement encore vivante ! Quant aux fourmis légionnaires, qui chassent en colonie de 700000 individus, elles dévorent tous les animaux qui n'ont pas eu le temps de s'écarter de leur route. En quelques heures, les ogresses ont réduit un chien enchaîné à l'état de squelette.

En meute, les lycaons se jettent sur le gnou et commencent à le dévorer alors qu'il est encore vivant !

M.C. & M. DENIS-HUOT

# PLUS RIEN À PERDRE

**À l'heure de la dernière heure, quasi dans la gueule du prédateur, certaines proies sont capables de véritables prodiges.**

**H**orreur ! La gueule du coyote n'est plus qu'à quelques centimètres de l'opossum de Virginie. Plus moyen de s'échapper... Le marsupial grogne, montre les dents, s'excite. Puis soudain, tombe sur le côté, le corps raide, les yeux mi-clos et la langue pendante. Le coyote tente bien de le mordiller. Rien à faire, le rongeur ne bouge pas d'un poil. L'heure de jouer la marche funèbre ? C'est ce que croit le chasseur. Qui un instant se détourne... et voit filer sous son nez, le faux macchabée ! Faire le mort pour bluffer son agresseur : une technique risquée mais qui fonctionne. Notamment si le prédateur est un amateur de viande fraîche. Rebuté par la charogne, il se peut qu'il hésite ou que tout simplement, convaincu que sa proie ne peut plus s'enfuir, il la lâche un instant. Un temps que la victime mettra à profit pour s'enfuir.

## SACRIFICE PROVISOIRE

Autre astuce, pour sauver sa peau au dernier moment : faire que les mâchoires ne claquent pas là où ça fait mal. Notamment du côté de la tête. Comment ? En attirant l'attention du prédateur vers une zone moins vitale. Repérées, les théclines, des papillons, brandissent de fausses antennes fichées à l'arrière de leurs ailes ; les poissons papillons arborent près de leur queue ou de leur nageoire de magnifiques ocelles, de faux yeux souvent plus gros que les vrais. Souvent, ce sont eux qui sont pris pour cible. Certes, au final, la proie est amputée d'un bout de queue, d'aile ou de nageoire, mais elle peut survivre et se mettre à couvert.

Autres bestioles qui ne dédaignent pas de laisser un morceau au combat : les lézards. Saisis par la queue, ils se séparent volontairement d'un bout de leur appendice, rompant automatiquement le lien qui l'attache au reste du corps. Sectionnée, la queue continue de se trémousser et retient l'attention du prédateur, permettant à la proie de se réfugier en lieu sûr. Avec le temps, une nouvelle queue repoussera et viendra remplacer l'an-cienne. Les étoiles de mer et les crabes abandonnent volontiers pattes et pinces. Quant aux geckos, ils n'hésitent pas à sacrifier un bout de leur peau. Non adhérente, elle se détache (un peu comme au moment de la mue) dès qu'un chasseur la saisit. Laissant son propriétaire en partie nu, mais sauf...

Les proies ont beau être astucieuses, elles finissent parfois par se retrouver toute entière dans la gueule de l'attaquant. Mais même là, toutes ne s'avouent pas vaincues. C'est ainsi que le carabe bombardier libère un mélange chimique explosif susceptible de brûler les muqueuses de la bouche jusqu'à 100 °C. Il en faudrait moins pour le recracher ! ●

ROTMAN / BIOS

Le nuage d'encre noire projeté par la pieuvre n'est pas un écran derrière lequel elle se cache. Plus visible que l'animal, il abuse le chasseur qui, persuadé qu'il s'agit de sa cible, se jette dessus.

La tête de ce petit poisson est à droite ! Le gros œil noir est un faux, placé là pour tromper le chasseur. Le vrai œil est caché sous la bande noire.

ROESSLER / SUNSET

Pris, le carabe bombardier libère un jet explosif et brûlant dans la bouche de son agresseur, forçant ce dernier à le recracher.

TOM EISNER

# ÉTONNER

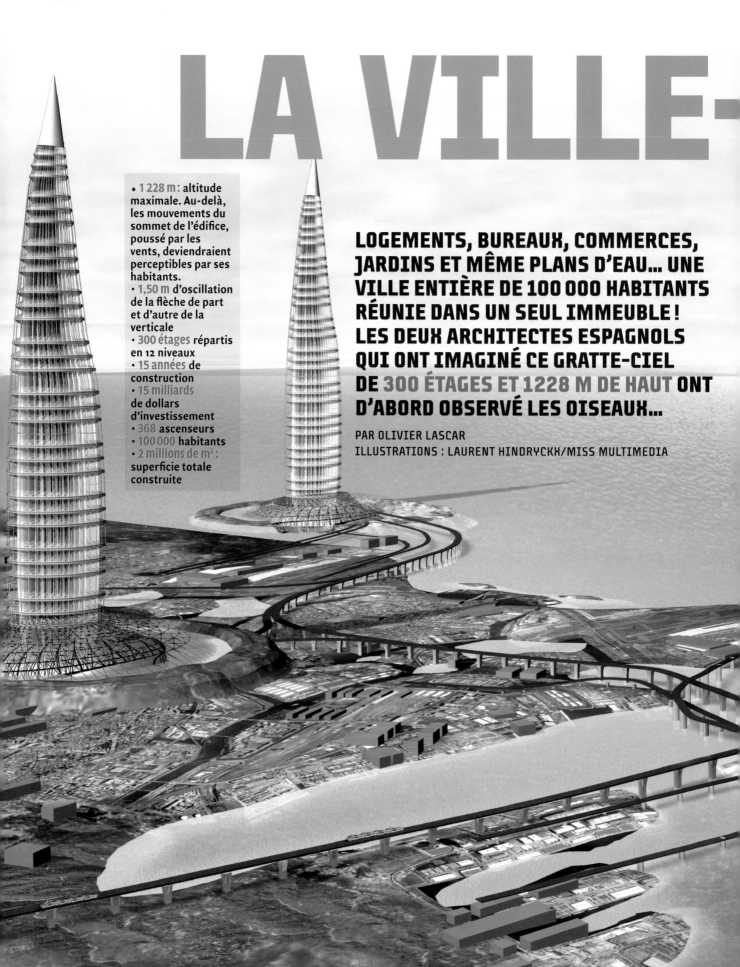

# LA VILLE-

• **1 228 m : altitude maximale.** Au-delà, les mouvements du sommet de l'édifice, poussé par les vents, deviendraient perceptibles par ses habitants.
• **1,50 m** d'oscillation de la flèche de part et d'autre de la verticale
• **300 étages** répartis en 12 niveaux
• **15 années** de construction
• **15 milliards** de dollars d'investissement
• **368 ascenseurs**
• **100 000 habitants**
• **2 millions de m² :** superficie totale construite

**LOGEMENTS, BUREAUX, COMMERCES, JARDINS ET MÊME PLANS D'EAU... UNE VILLE ENTIÈRE DE 100 000 HABITANTS RÉUNIE DANS UN SEUL IMMEUBLE ! LES DEUX ARCHITECTES ESPAGNOLS QUI ONT IMAGINÉ CE GRATTE-CIEL DE 300 ÉTAGES ET 1228 M DE HAUT ONT D'ABORD OBSERVÉ LES OISEAUX...**

PAR OLIVIER LASCAR
ILLUSTRATIONS : LAURENT HINDRYCKX/MISS MULTIMEDIA

# TOUR

**Tour (ville verticale)**

## UN PROJET PHARAONIQUE

1 228 m d'altitude ! soit environ 4 tours Eiffel juchées les unes sur les autres : c'est la taille gigantesque du « bul-dingue » imaginé par deux architectes espagnols, Javier Pioz et Maria Rosa Cervera. La « tour bionique » — le nom de ce bâtiment pharaonique qui ne détonnerait pas dans *Star Wars* — devrait être réalisée pour la première fois en Chine. À Shanghai plus précisément. La métropole, candidate à l'organisation de l'Exposition universelle de 2010, souhaiterait construire à cette occasion le premier niveau de cet extraordinaire bâtiment. Mais pour voir l'édifice terminé de pied en cap, il faudra faire preuve de patience ! Le temps estimé de durée des travaux est en effet de 15 années, durant lesquelles il faudra investir 15 milliards de dollars !

## RÉVOLUTION TECHNIQUE POUR UNE TAILLE RECORD

À quoi bon concevoir un édifice aussi haut que la tour bionique ? D'abord pour construire un immeuble de forte capacité : le projet des architectes madrilènes pourra accueillir 100 000 personnes. Une bonne solution pour loger un maximum de monde en un minimum de place. Le besoin s'en fera d'ailleurs de plus en plus sentir : si nous étions 6 milliards de Terriens en l'an 2000, notre nombre pourrait doubler d'ici à 2050 !

L'autre raison, c'est que ce bâtiment permet de relever un défi : celui de dépasser la borne des 500 m d'altitude. Pour résumer à la hache, disons que cette frontière, sous laquelle stagnent nos gratte-ciel actuels, est liée à la technique permettant de les faire tenir debout. Une immense colonne de béton parcourt en effet ces édifices des pieds à la tête. Elle confère ainsi au bâtiment sa stature verticale. Problème : plus l'immeuble est haut, plus ladite colonne prend de la place. Tant et si bien qu'à la limite du demi-kilomètre d'altitude, le volume restant pour l'espace habitable — appartements ou autres bureaux — est devenu tout riquiqui ! Il s'agissait donc de contourner le problème, et Javier Pioz et Maria Rosa Cervera ont phosphoré dur sur la question. Pendant une dizaine d'années, à la tête d'un groupe de travail composé de biologistes, d'ingénieurs et d'architectes, ils ont étudié les lois de construction dans la nature. Leur objectif : en tirer des idées inédites pour façonner l'habitat de l'homme. Comment se fait-il, par exemple, que les arbres puissent être à la fois si élevés et si étroits alors que nos immeubles sont si massifs ? Et les os des oiseaux ? Incroyablement légers et pourtant si résistants, ne pourrait-on pas s'en inspirer pour la structure interne de nos bâtiments ? Autant de cogitations dont voici le résultat : une tour dite « bionique » car inspirée de la nature.

**Base de la tour (ville horizontale)**

**Île artificielle (espace gagné sur la mer)**

**Liaisons avec d'autres villes**

## UN GÉANT AU-DESSUS DES GRATTE-CIEL

**La tour Eiffel (Paris, France) : 320 m**

**L'Empire State Building (New York, USA) : 381 m**

**Les tours disparues du World Trade Center (New York, USA) : 417 m**

**Les tours Petronas (Kuala Lumpur, Malaisie, record actuel) : 452 m**

**La tour bionique (projet pour Shanghai, Chine) : 1228 m**

# À L'INTÉRIEUR DE LA TOUR BIONIQUE

### DANS UN NID DE BÉTON

Le croirez-vous ? Les architectes de la tour bionique se sont inspirés… de nids d'oiseaux. Pourquoi ? Parce que le berceau des volatiles, bien que constitué d'un enchevêtrement de brindilles très fragiles, est néanmoins solide et souple. Si vous appuyez sur le nid, il ne va pas éclater, mais absorber la pression en se déformant, pour ensuite revenir à sa forme normale. C'est la même philosophie avec la tour bionique, même si on change d'échelle. Son architecture lui permet de fléchir sans rompre (par exemple sous la contrainte des vents), comme d'atteindre des dimensions impressionnantes sans succomber à son propre poids. Dans la pratique, cette structure miracle sera constituée de l'assemblage d'une myriade de « tiges » de béton haute résistance. Un matériau qui pourrait permettre de fabriquer des poutrelles de 2 cm d'épaisseur capables de résister à des pressions de 6 000 kg au cm² (celle d'un éléphant sur un demi-morceau de sucre !). De quoi façonner un immeuble dont la sécurité sera également assurée par la présence de zones antifeu : des « tranches » horizontales espacées régulièrement sur l'édifice. Vides d'habitants, hautes jusqu'à 20 m, elles stopperont la progression des flammes, évitant ainsi qu'un effroyable incendie ne se propage à la ville entière.

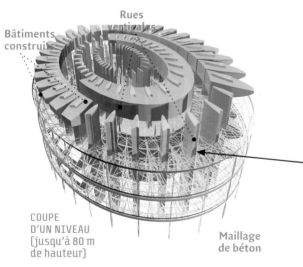

Bâtiments construits

Rues verticales

COUPE D'UN NIVEAU (jusqu'à 80 m de hauteur)

Maillage de béton

### UN IMMEUBLE SAUCISSONNÉ

Les habitants de la tour bionique vivront entre deux zones antifeu. Le plus volumineux de ces niveaux d'habitation, à peu près à mi-tour, fera 80 m de haut. Ils seront tous traversés par les artères parcourant verticalement l'immeuble, de la base à son sommet. Ce sont les « rues verticales » de la tour bionique : c'est par elles que circuleront des canalisations et autres tuyaux permettant d'alimenter l'édifice en eau ou en électricité. Mais ces « rues » sont également là pour accueillir les ascenseurs de la tour.
D'après Javier Pioz, 2 min seulement seront nécessaires pour filer du rez-de-chaussée au dernier étage.

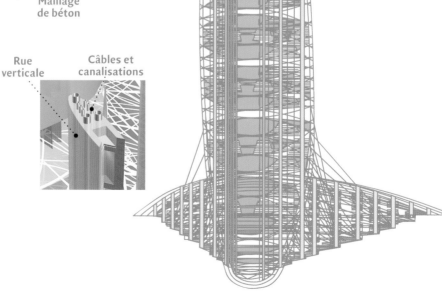

COUPE VERTICALE DE LA TOUR

Zones antifeu

Niveaux d'habitation (environ 25 étages par niveau)

Rues verticales (câbles électriques, canalisations, ascenseurs…)

Rue verticale

Câbles et canalisations

### VUE DE L'INTÉRIEUR

La tour bionique ?
C'est une immense toile d'araignée en trois dimensions, où le réseau des poutres entrelacées constitue un gigantesque maillage qui sert de points d'appui à la construction de bâtiments. Maisons, bureaux, hôtels, commerces, supermarchés ou hôpitaux : on trouvera de tout dans cette structure de béton, comme dans une véritable ville. Même des jardins et des plans d'eau, aménagés dans les espaces laissés libres. De quoi constituer *in fine* un spectacle grandiose auquel devront s'habituer les yeux humains…

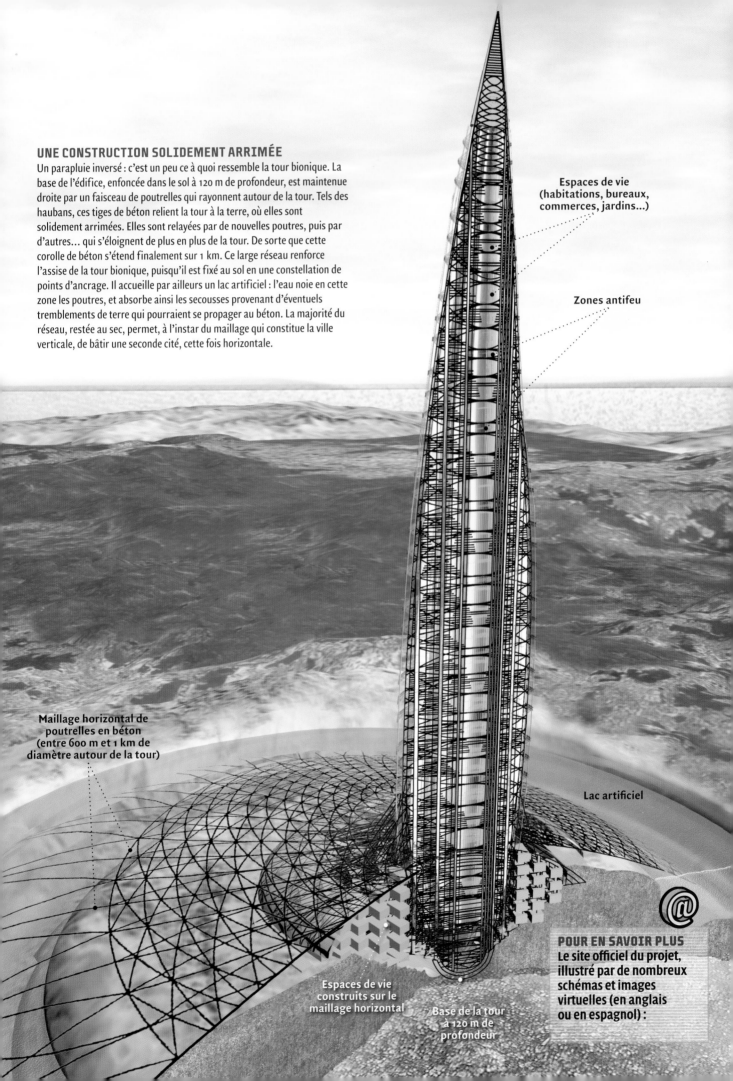

## UNE CONSTRUCTION SOLIDEMENT ARRIMÉE

Un parapluie inversé : c'est un peu ce à quoi ressemble la tour bionique. La base de l'édifice, enfoncée dans le sol à 120 m de profondeur, est maintenue droite par un faisceau de poutrelles qui rayonnent autour de la tour. Tels des haubans, ces tiges de béton relient la tour à la terre, où elles sont solidement arrimées. Elles sont relayées par de nouvelles poutres, puis par d'autres… qui s'éloignent de plus en plus de la tour. De sorte que cette corolle de béton s'étend finalement sur 1 km. Ce large réseau renforce l'assise de la tour bionique, puisqu'il est fixé au sol en une constellation de points d'ancrage. Il accueille par ailleurs un lac artificiel : l'eau noie en cette zone les poutres, et absorbe ainsi les secousses provenant d'éventuels tremblements de terre qui pourraient se propager au béton. La majorité du réseau, restée au sec, permet, à l'instar du maillage qui constitue la ville verticale, de bâtir une seconde cité, cette fois horizontale.

**Espaces de vie**
(habitations, bureaux, commerces, jardins…)

**Zones antifeu**

Maillage horizontal de poutrelles en béton (entre 600 m et 1 km de diamètre autour de la tour)

Lac artificiel

Espaces de vie construits sur le maillage horizontal

Base de la tour à 120 m de profondeur

**POUR EN SAVOIR PLUS**
Le site officiel du projet, illustré par de nombreux schémas et images virtuelles (en anglais ou en espagnol) :

# CAMOUFLAGE

# PAS VU, PAS PRIS L'HOMME INVISIBLE!

Deux soldats sont cachés dans ce paysage urbain. Saurez-vous les découvrir ? Ils portent une combinaison qui rend invisible, et ça ne facilite pas les choses. Une idée incroyable qu'on ne peut restituer aujourd'hui qu'avec un photo-montage. Mais demain ?

Un camouflage parfait, qui change à chaque instant en fonction du milieu environnant : l'armée américaine est en train de mettre au point l'homme invisible ! Découvrez ce qui se cache derrière ce projet encore top secret.

PAR OLIVIER LASCAR

Pschufff... C'était quoi ça? Le docteur Kemp se retourne dans son fauteuil. Assis dos à la porte de son douillet intérieur, il jurerait avoir senti quelque chose pénétrer dans la pièce. Sans doute un courant d'air, car le médecin ne distingue rien d'anormal. Mais voilà qu'une voix retentit, venue d'on ne sait où. Horreur! Brusquement, la chaise à bascule placée dans un coin de sa chambre s'avance vers lui, comme par magie, jusqu'à lui faire face. Puis la toile du siège s'enfonce, comme si quelqu'un venait de s'asseoir. Une bûche de bois, posée à proximité, s'élève à son tour dans les airs comme en état de lévitation pour finir dans l'âtre de la cheminée!

Kemp aurait-il abusé du doux sherry britannique? Point du tout: le médecin vient de croiser la route de «l'Homme invisible». Dans ce film de 1933, une créature plus transparente que le cristal fait ses débuts cinématographiques. Depuis cette date, ce héros «discret» — inventé à la fin du XIXe s. par l'écrivain Herbert George Wells — s'est taillé de jolis succès dans les salles obscures. On lui doit quelques scènes cultes de strip-tease: l'Homme invisible débobinant une à une les bandelettes de son visage pour prouver qu'il n'a vraiment rien à cacher!

## DES SOLDATS INVISIBLES POUR L'ENNEMI!

Ce n'est pourtant pas au cinéma qu'il faut chercher des nouvelles de ce personnage mythique. Le scoop proviendrait plutôt d'un institut de recherche de l'armée américaine: le centre de Natick, dans le Massachusetts. Là, des savants préparent les équipements high-tech destinés à transformer leurs soldats en d'implacables machines de guerre. Et ils accordent une attention toute particulière aux uniformes: à la recherche de la combinaison idéale, ils travaillent par exemple à la tenue instantanée que l'on moule directement sur le combattant. Ou encore à celle qui demeure étanche dans l'eau et devient perméable sur terre. Mais le plus étonnant de cette liste, c'est quand même... le costume qui rend invisible!

Entendons-nous bien. On ne parle pas là des techniques déjà connues pour rendre le soldat imperceptible aux systèmes de détection électronique de son adversaire. Par exemple, les dispositifs qui bloquent les infrarouges émis par le corps, ou bien les matériaux — comme ceux employés pour recouvrir un avion furtif — laissant glisser les ondes radar. Non: les chercheurs de Natick parlent d'un système permettant d'échapper au regard des soldats ennemis! Un degré supérieur dans la discrétion par rapport à ce que l'on emploie depuis belle lurette: les tenues de camouflage. Des treillis reproduisant les contours d'un feuillage ou la texture du sable qui cessent d'être efficaces dès que l'arrière-plan est modifié!

D'où l'idée des scientifiques américains: développer un uniforme dont le motif et les couleurs changent selon l'environnement où évolue le militaire. Le résultat? Une quasi-invisibilité du personnage, comme le «montre» le photomontage ci-contre. Voyez le soldat accroupi sur le sol devant un mur: une partie de son corps ressemble à du gravier et le reste est à l'image des briques. Et si, cinq minutes après, on le retrouvait devant du papier peint à fleurs, il prendrait une apparence totalement bucolique!

Comment fonctionne cet extraordinaire costume? Question délicate, car c'est un projet à très long terme, conçu dans le cadre du programme Future Warrior 2025 («le combattant du futur 2025»), qui doit définir l'équipement du soldat américain dans plus de vingt ans. Et si elles confirment bien qu'elles travaillent sur l'invisibilité, les autorités américaines ne donnent guère de détails. «Nous sommes très fiers des progrès accomplis dans le domaine du camouflage, déclare Jerry Whitaker, le responsable de la communication à Natick, et nous pensons vraiment être en pointe au niveau international. Mais, malheureusement, il est encore trop tôt pour divulguer les informations techniques sur ce sujet.» Bref, c'est motus et bouche cousue!

## TRICOT HAUTE TECHNOLOGIE

Impossible d'en savoir plus? Pas tout à fait. Car on dispose d'un indice de choix pour remonter la piste sur laquelle travaillent peut-être les scientifiques américains. Ces recherches s'inscrivent en effet dans le cadre des «vêtements intelligents». Des fringues auxquelles on ne demande plus simplement de protéger celui qui les porte contre le climat ou de le transformer en victime de la mode. Non, ces habits-là sont magiques et permettent d'accomplir une opération précise. Comme le blouson-téléphone, dans lequel émetteur, récepteur et autres composants électroniques constituant un bigophone classique sont disséminés à l'intérieur du vêtement. Ou l'écharpe dans laquelle est intégrée une caméra vidéo.

Pas besoin d'aller en Amérique pour découvrir ces petites merveilles de technologie. Elles sont fabriquées en France, à Grenoble, par l'antenne Recherche et Développement de France Télécom. C'est aussi là qu'est utilisé un autre matériau qui pourrait être primordial au «costume invisible» des Américains: la fibre optique (voir dessins p. 136-137). L'équipe de Grenoble, dirigée par André Weill, a utilisé cette fibre pour fabriquer un écran souple. Comment s'y sont-ils pris? En «tricotant», à l'aide des fibres optiques, un damier de 64 cases, où toutes les fibres réunies à l'intérieur d'une même case sont connectées à une diode, c'est-à-dire une mini-ampoule qui sert de source lumineuse.

Cette lumière est captée par l'écheveau des fibres optiques, qui la diffuse ensuite vers l'extérieur. Les fibres transforment ainsi la case où elles sont réunies en une zone homogène, émettant de la lumière dans le même niveau de gris. Un vrai pixel, comme ceux qui composent l'écran d'un téléviseur! Ce sont les contrastes de luminosité entre toutes les cases du damier qui forment une image, et la variation dans le temps de ces contrastes qui permet d'obtenir des séquences animées.

## UN HOMME-ÉCRAN RECOUVERT DE MINICAMÉRAS

Le prototype mis au point par France Télécom, qui s'adapte sur une veste ou un sac à dos, passe pour le moment un programme assez rudimentaire: des têtes de «souriards» (Smileys) ou des figures géométriques au look 100 % Tetris (voir photo page suivante). La raison en est simple: s'il a les dimensions d'un petit poste de télé (30 cm sur 30 cm), cet écran ne bénéficie que de 64 pixels, contre 1024 pour celui du récepteur qui trône dans votre salon. Mais il suffirait de multiplier le nombre de ces cases-pixels pour que soit automatiquement augmenté le degré de définition. Et voilà ce nouvel écran capable de diffuser des images fouillées, malgré son petit format. Reste maintenant à l'agrandir pour obtenir enfin le fameux effet de l'invisibilité.

Imaginez en effet que les fibres optiques ne soient pas uniquement réparties sur une surface correspondant à celle d'un

# CAMOUFLAGE

Un vêtement équipé d'un écran souple et sur lequel apparaît une image envoyée depuis un portable. Ce prototype fabriqué par France Télécom a été dévoilé en 2002 : la préhistoire du costume qui rend invisible ?

P.E. RASTOIN/FRANCE TELECOM

téléviseur, mais qu'elles recouvrent la totalité d'un uniforme militaire ! La tenue devient alors intégralement lumineuse, et le soldat se transforme en un immense écran monté sur pattes. Sur lequel on ne diffuse plus des dessins géométriques, mais des images de l'environnement immédiat de celui qui porte l'uniforme, par l'intermédiaire de minicaméras disposées régulièrement sur le costume (*voir dessin p. 137*).

Le rôle de ces caméras ? Enregistrer en continu, et dans toutes les directions de l'espace, les images du monde où crapahute le militaire. Ce bouquet de formes et de couleurs est ensuite envoyé vers la « boîte noire » du système — contenant mémoire et microprocesseurs — intégrée à l'uniforme. À son tour, ce véritable ordinateur portatif dirige ces informations vers les diodes qui illuminent les fibres optiques recouvrant le costume. Résultat : ce treillis d'un nouveau genre diffuse des images qui évoluent constamment. Sur le ventre du bonhomme apparaissent ainsi les objets placés derrière lui et filmés par une caméra placée sur son dos. Et vice versa ! Au final, c'est un soldat qui paraît absolument transparent ! Mais

hélas, en théorie seulement : la technologie actuelle paraît trop limitée pour atteindre dès aujourd'hui cet objectif. « Prenez notre prototype d'écran lumineux, explique André Weill. Il est alimenté par une batterie de 3,5 V qui lui donne la possibilité de fonctionner pendant deux heures. » Un écran intégral réparti sur tout l'uniforme serait, lui, beaucoup plus gourmand en énergie électrique : imaginez alors toutes les piles qu'il faudrait trimballer sur soi !

Il y a ensuite le problème de la source lumineuse à laquelle sont connectées les fibres optiques : les diodes, qui pompent 90 % de l'alimentation électrique. « Pour notre prototype, reprend André Weill, nous en avons besoin de 64. Une par pixel ! » Des milliers de diodes seraient donc nécessaires à un costume caméléon. Elles constitueraient un encombrant matelas qu'il faudrait bien glisser quelque part.

Mais la recherche sur les textiles intelligents n'en est qu'à ses débuts : la miniaturisation des diodes ou des batteries feront sans aucun doute des progrès considérables.

Et, pour finir de convaincre ceux qui hésitent encore et ne s'imaginent décidément pas vêtus de fibres optiques, il suffit de se plonger dans un passé pas si lointain, au début du XXe s. Il n'y avait alors qu'une seule solution pour se vêtir : employer des fibres naturelles, laine, coton, soie... Jusqu'à l'invention du Nylon, à la fin des années 1930. Cette vraie fibre synthétique est maintenant tellement répandue qu'on ne la remarque même plus. Qui peut dire aujourd'hui si les fibres optiques ne connaîtront pas le même succès ? ●

## POUR EN SAVOIR PLUS

*L'Homme invisible*, un film de James Whale, disponible en K7 vidéo et en DVD, éd. Universal.
*L'Homme invisible*, de Herbert George Wells, éd. Hachette Jeunesse, coll. Le Livre de poche jeunesse.

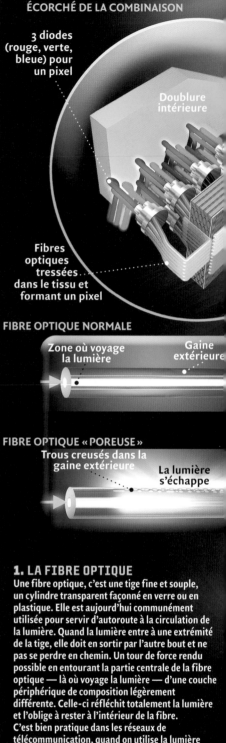

ÉCORCHÉ DE LA COMBINAISON

3 diodes (rouge, verte, bleue) pour un pixel

Doublure intérieure

Fibres optiques tressées dans le tissu et formant un pixel

**FIBRE OPTIQUE NORMALE**

Zone où voyage la lumière

Gaine extérieure

**FIBRE OPTIQUE « POREUSE »**

Trous creusés dans la gaine extérieure

La lumière s'échappe

### 1. LA FIBRE OPTIQUE

Une fibre optique, c'est une tige fine et souple, un cylindre transparent façonné en verre ou en plastique. Elle est aujourd'hui communément utilisée pour servir d'autoroute à la circulation de la lumière. Quand la lumière entre à une extrémité de la tige, elle doit en sortir par l'autre bout et ne pas se perdre en chemin. Un tour de force rendu possible en entourant la partie centrale de la fibre optique — là où voyage la lumière — d'une couche périphérique de composition légèrement différente. Celle-ci réfléchit totalement la lumière et l'oblige à rester à l'intérieur de la fibre. C'est bien pratique dans les réseaux de télécommunication, quand on utilise la lumière pour véhiculer l'information. Par contre, cela n'arrange pas les chercheurs qui, à l'instar de l'équipe d'André Weill, veulent fabriquer des écrans lumineux tressés en fibres optiques. Car la lumière ne doit alors plus être prisonnière de la fibre, mais au contraire jaillir à l'extérieur. Pour que la fibre optique puisse émettre la lumière sur toute sa longueur, il faut donc la transformer physiquement : c'est-à-dire arracher des morceaux de sa gaine extérieure. Sans barrière de protection, la fibre à nu ne peut plus contenir la lumière. Cette opération est réalisée en projetant à haute pression du sable sur la fibre optique. Imaginez un peu le travail de précision que cela représente, quand on sait que les fibres employées par l'équipe de France Télécom ne font que 0,5 mm de diamètre : cinq fois plus épais seulement qu'un gros cheveu !

ILLUSTRATION : MICHEL SAEMANN

## 2. UN MAILLAGE DE FIBRES OPTIQUES

On bénéficie maintenant de fibres optiques laissant passer la lumière. À l'instar d'une fibre classique, on peut les employer pour tresser un vêtement lumineux qui servira d'écran de projection. Ce textile high-tech est en fait un damier dont chaque case, composée de fibres optiques alignées les unes sous les autres, joue le rôle d'un pixel. Comme avec un écran de télé ou d'ordinateur classique, c'est parce que les pixels diffusent tous une lumière différente que leur ensemble forme une image qui bouge. La lumière en question provient d'ailleurs de diodes auxquelles sont connectées les fibres optiques. Pour un écran noir et blanc, celui du prototype de France Télécom (*voir page ci-contre*), ce sont uniquement des diodes blanches qui sont utilisées. Par contre, pour un écran en couleurs comme devra l'être le costume de l'homme invisible, chaque case est alimentée par trois diodes : une rouge, une verte, une bleue, dont le mélange permet d'obtenir n'importe quelle teinte.

Épaisseur
du tissu

Pixel

Caméras
disséminées
sur le costume

« Cerveau
électronique »
contrôlant la
projection des
images sur le
costume

Toute la
lumière est
canalisée

Quantité
réduite de
lumière

Restitution
de l'image
prise par la
caméra
dans le dos

Effet
d'invisibilité
obtenu par
l'ensemble
des caméras

Caméra

Partie du décor
filmée par la
caméra

Costume
intégralement
recouvert
de pixels

## 3. LA TENUE DE L'HOMME INVISIBLE

Les fibres optiques tressées ne sont plus cantonnées à un petit format. Elles recouvrent maintenant totalement le costume du militaire. Et la lumière diffusée reflète exactement l'environnement où évolue le personnage. C'est « l'effet transparence » : sur le ventre de notre mannequin, apparaissent les objets placés dans son dos. Comment atteindre cet objectif ? En utilisant de petites caméras disposées régulièrement sur le corps du soldat. Prenons donc celles qui tapissent son dos et filment le décor derrière lui. Elles enregistrent une succession d'images. Ce flot de données est envoyé vers un dispositif central, contenu dans la ceinture du militaire. Le rôle de ce cerveau électronique ? C'est celui d'une gare de triage. Il va dispatcher l'information en provenance des caméras sur les zones adéquates du tapis de fibres optiques recouvrant l'uniforme du militaire. De sorte que les images filmées dans le dos du soldat apparaissent sur les fibres optiques recouvrant son ventre et sa poitrine ! Facile à dire, mais sûrement assez ardu à mettre en œuvre ! En effet, à partir de toutes les images en deux dimensions prises par les caméras, il faut intégralement « encercler » le corps du militaire. Une couverture uniforme et pas une juxtaposition d'images collées bout à bout ! Comment l'armée américaine se sortira de ce problème ? Pour le savoir, il faudra patienter jusqu'en 2025 !

ILLUSTRATION : BENOÎT SPRINGER

# Et si la Terre la boussole...

Les portables en rade, les télés brouillées, votre boussole qui s'affole : que se passe-t-il ? La Terre tourne encore, mais elle a perdu le nord ! Voilà ce qui pourrait bien arriver d'ici quelques années. Le responsable ? Le champ magnétique terrestre, qui ne cesse d'évoluer...

Par Daniel Fiévet

**perdait**
Le pôle nord
magnétique ne cesse
de se déplacer

«**S**i vous nous rejoignez, je vous rappelle la principale information de cette édition spéciale : les satellites en orbite autour de la Terre tombent en panne les uns après les autres, faisant souffler un vent de panique sur toute la planète. Retransmissions télévisées interrompues, téléphones portables hors service : nous sommes en train d'assister à un blocage général sans précédent dans l'histoire des télécommunications. En raison des graves dysfonctionnements qui affectent les systèmes de guidage par satellites, tous les vols ont été annulés et les bateaux ont pour ordre de rester à quai. Les moniteurs de bord des derniers Concorde à avoir décollé ont décelé à bord des appareils un taux anormalement élevé de particules électriquement chargées venues de l'espace. Tous ces événements seraient liés à la disparition pure et simple de notre chfffffff... » La neige a envahi l'écran de votre télé. Le satellite de télécommunication Com 6 Com Sat, qui assurait la transmission de la dernière chaîne que vous parveniez encore à capter, vient à son tour de rendre l'âme...

Voici ce que vous pourriez vivre demain, si le champ magnétique terrestre s'évanouissait *(voir encadré p. 142)*. Science-fiction ? Pas tout à fait. Des mesures faites par satellites indiquent en effet qu'au cours des vingt dernières années, le champ magnétique a particulièrement diminué dans la moitié du globe comprenant l'Afrique, l'Europe et l'océan Atlantique, alors qu'il a peu changé dans l'hémisphère opposé, occupé par l'océan Pacifique. C'est à se demander si nous ne sommes pas à la veille de gros changements.

## Le monde à l'envers

Depuis des milliards d'années, tout se passe comme s'il y avait, au cœur de la Terre, un gigantesque barreau aimanté à peu près orienté selon son axe de rotation, avec aux extrémités le pôle sud et le pôle nord magnétiques. Et les aiguilles des boussoles, comme des aimants, s'orientent dans ce champ en suivant les lignes de force **(DICO)** qui relient ces deux pôles en ceinturant notre planète. Mais pour combien de temps encore ? Au vu de récentes observations, des scientifiques de l'Institut de physique du globe de Paris envisagent très sérieusement que le pôle nord magnétique, actuellement situé près du pôle Nord géographique, disparaisse pour réapparaître quelque temps plus tard au pôle Sud.

Qu'avons-nous fait pour en arriver là ? Pour une fois, rien. À vrai dire, une telle inversion, ce n'est pas une grande première. Notre planète en a même vu beaucoup d'autres depuis que le magnétisme terrestre existe, soit au moins 3,5 milliards d'années. La dernière en date a eu lieu il y a 780 000 ans. Si vous aviez été là à cette époque, votre boussole vous aurait indiqué le sud. En fait, depuis 10 millions d'années, le champ magnétique s'est inversé en moyenne tous les 200 000 ans.

Si nous en savons autant sur le renversant passé magnétique de la Planète bleue, c'est grâce à l'analyse de laves et de sédiments marins qui, en se solidifiant, ont piégé des grains aimantés. Ceux-ci ont été figés dans une

RESEARCHERS / JACANA

position qui reflète l'orientation du champ à l'époque de la formation de la roche. En comparant ces différentes aimantations dans la succession de couches de lave, les chercheurs se sont également aperçus que les inversions étaient précédées d'un affaiblissement progressif du champ magnétique. Or c'est précisément ce qui est en train de se passer aujourd'hui. Grâce aux mesures historiques et à l'analyse de poteries anciennes qui ont enre-

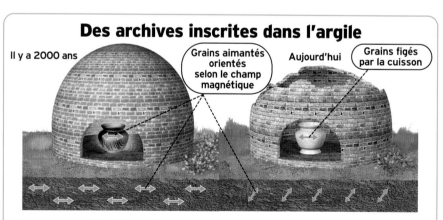

### Des archives inscrites dans l'argile

Il y a 2000 ans

Grains aimantés orientés selon le champ magnétique

Aujourd'hui

Grains figés par la cuisson

Comment connaître l'intensité et l'orientation du champ magnétique terrestre d'il y a 2000 ans ? Grâce à des poteries ! L'argile dont elles sont constituées contient des grains aimantés, qui s'orientent dans le champ magnétique comme les aiguilles d'une boussole. Une orientation figée par la cuisson dans le four. Plusieurs milliers d'années plus tard, il suffit de comparer l'orientation des grains avec celle des grains du terrain alentour.

ILLUSTRATION : PATRICK TAÉRON

Les aurores boréales (ici, au nord du Manitoba, au Canada) se produisent lorsque certaines des particules solaires sont déviées vers le pôle Nord et pénètrent dans l'atmosphère.

gistré, selon le même principe que les laves, l'intensité du champ magnétique passé (*voir dessins ci-contre*), les scientifiques savent que l'intensité du champ diminue depuis 2 000 ans, et même de plus en plus rapidement depuis 150 ans. À ce rythme, dans un millénaire ou deux il aura pratiquement disparu.

À quoi correspondent donc ces perturbations ? La réponse se trouve à 3 000 km sous nos pieds, dans un lieu terrifiant où il fait entre 3 500 et 5 000 °C et où les pressions sont plusieurs millions de fois supérieures à celle que l'on connaît à la surface de la mer : le noyau liquide de la Terre. Pour se le représenter, il faut imaginer un océan de fer fondu agité de remous et présentant les propriétés d'un gigantesque électroaimant, auquel nous devons le champ magnétique terrestre (*voir encadré p. 143*).

Impossible pour les scientifiques d'aller ausculter directement ce noyau liquide, bien trop chaud et beaucoup trop profondément enfoui pour être approché. Pour cette raison, les chercheurs ont, avec un certain esprit de contradiction, décidé de prendre de la hauteur et d'utiliser des satellites pour étudier l'intensité du champ magnétique terrestre, ainsi que ses lignes de force. Actuellement, celles-ci sortent de l'hémisphère Sud de la planète pour replonger dans ses entrailles dans l'hémisphère Nord.

## Tumulte au centre de la Terre

Pour connaître leur comportement au cœur de la Terre, les scientifiques peuvent prolonger mathématiquement ces lignes en s'appuyant sur les lois physiques qui régissent tout champ magnétique. Ainsi, ils peuvent faire correspondre aux modifications des lignes de force survenues depuis vingt ans les mouvements qui les ont engendrées au centre de la planète. Les choses se passent un peu comme si les lignes de force étaient accrochées à de grosses bouées évoluant dans les flots tumultueux du noyau liquide. Et quand les bouées sont secouées, les fameuses lignes s'en ressentent. Autrement dit, en observant les déformations des lignes de force qui passent au-dessus de nos têtes, les scientifiques peuvent déduire ce qui se trame sous nos pieds. C'est de cette façon qu'ils se

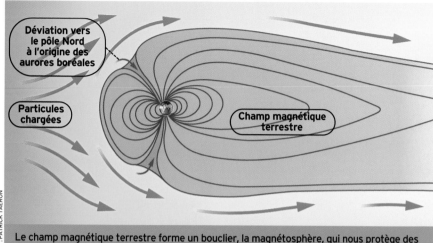

ILLUSTRATIONS : PATRICK TAÉRON

Le champ magnétique terrestre forme un bouclier, la magnétosphère, qui nous protège des particules électriquement chargées envoyées par le cosmos, notamment par le Soleil (le « vent solaire »). Ces particules, déviées, déforment les lignes de force de la magnétosphère en les aplatissant du côté de la face exposée au Soleil et en les allongeant de l'autre côté.

## Complètement déboussolés

Si le champ magnétique tel que nous le connaissons disparaissait, il serait remplacé par un champ 10 fois plus faible, comportant plusieurs pôles magnétiques. Dans ces conditions, vous vous en doutez, l'utilisation de boussoles et autres instruments de navigation utilisant le champ magnétique deviendrait pour le moins hasardeuse.

Heureusement, les actuels systèmes de navigation des avions et des bateaux combinent différentes technologies en parallèle, comme les satellites ou les radars. Et puisque l'évanouissement du champ se ferait au moins en quelques centaines d'années, nos descendants devraient largement avoir le temps d'ajuster les appareils concernés.

Même les animaux migrateurs, qui utilisent le champ magnétique pour se diriger, devraient s'en sortir, car eux aussi combinent différents systèmes de repérage basés notamment sur la position du soleil ou des étoiles. Et ils disposeront, de surcroît, de centaines de générations pour s'adapter aux changements progressifs du magnétisme terrestre.

Ainsi, même déboussolée, la nature saura faire face. Mais il y a plus embêtant. Actuellement, notre champ forme un puissant bouclier : la magnétosphère. Il dévie vers les pôles une bonne partie des particules électriquement chargées que nous envoie le cosmos. S'il s'affaiblit, la Planète bleue sera moins efficacement protégée.

Or, à forte dose, ces particules sont nocives pour l'homme. Elles peuvent, en effet, pénétrer au cœur de nos cellules et endommager l'ADN de nos chromosomes. Cette altération de notre patrimoine génétique peut provoquer l'apparition de cancers. Espérons que lorsque notre bouclier magnétique faiblira, le dernier rempart que constitue l'atmosphère sera suffisamment efficace pour éviter une augmentation des cancers à la surface du globe...

sont rendu compte que le noyau terrestre était agité d'intenses tourments.

Grâce à des simulations informatiques, les chercheurs ont pu recréer certains des mécanismes à l'origine des fluctuations du champ magnétique. D'après ces simulations, d'énormes tourbillons parallèles à l'axe de rotation de la Terre agitent le noyau liquide *(voir dessin p. 143)*. Et selon qu'ils tournent dans un sens ou dans l'autre, ils renforcent ou au contraire affaiblissent le champ magnétique dans la région du globe au-dessous de laquelle ils se trouvent. Or c'est précisément ce qu'indique l'étude par satellite des lignes de force. Celle-ci montre en effet

que sous les régions du globe où le champ magnétique est le plus intense (Pacifique) de gigantesques tourbillons de fer liquide tournent suivant le sens de rotation de la Terre, alors que sous les régions où le champ s'est particulièrement affaibli ces dernières années (Afrique) des tourbillons de même nature tournent en sens inverse.

## Dix pôles magnétiques !

Comme la Terre n'a pas fini de gargouiller, son champ magnétique va continuer à évoluer. Reste à savoir comment. Il est possible que sa petite baisse de forme soit passagère, en attendant une prochaine remontée, comme cela s'est produit dans le passé. Mais si la tendance actuelle persistait, si les baisses d'intensité du champ observées localement se propageaient à l'ensemble de la planète, le champ dipolaire (pôle sud/pôle nord) disparaîtrait progressivement.

En effet, actuellement, la plupart des mouvements qui agitent le noyau liquide ont des effets semblables, qui s'ajoutent les uns aux autres pour créer le champ à deux pôles que nous connaissons. Mais si les mouvements disparates qui subsistent dans le noyau liquide se multiplient, cela engendrerait un champ magnétique plus compliqué. Une dizaine de pôles pourraient apparaître à différents endroits du globe ! Et le nouveau champ résultant serait 10 fois moins intense que le champ actuel. Il faudrait alors probablement attendre 2 000 à 3 000 ans pour que l'intensité du champ augmente à nouveau, faisant réapparaître le nord magnétique au pôle Sud géographique. À moins qu'il ne s'agisse d'une simple « excursion » comme le disent les scientifiques. Dans

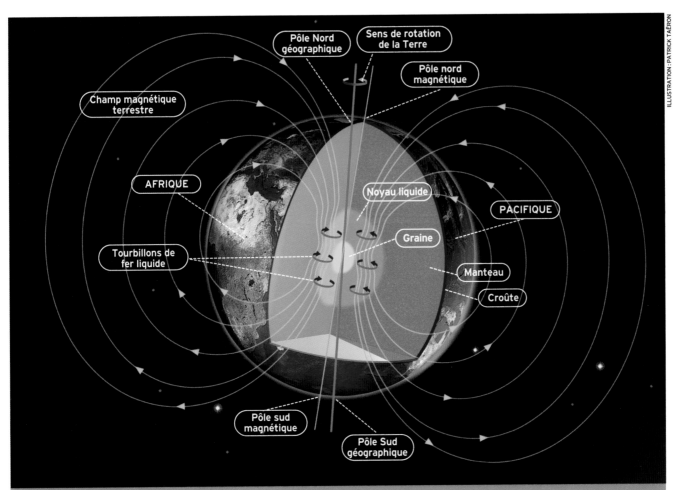

L'origine du champ magnétique terrestre est étroitement liée aux mouvements qui agitent le bouillonnant noyau liquide de la planète. Sous les régions du globe où le champ a peu changé au cours des vingt dernières années (Pacifique), des tourbillons de fer liquide tournent dans le sens de rotation de la Terre. Sous les régions où les baisses d'intensité du champ ont été les plus importantes (Afrique), des tourbillons de même nature tournent en sens inverse.

ce cas, après avoir presque disparu, le nord magnétique devrait réapparaître au même endroit.

Petite baisse passagère, inversion ou excursion ? Personne ne peut dire quel scénario la Terre s'apprête à nous jouer. Einstein considérait que le champ magnétique terrestre constituait l'un des problèmes fondamentaux non résolus de la physique. Près d'un siècle plus tard, les chercheurs commencent à y voir plus clair, mais une large part de mystère enveloppe toujours les mécanismes qui génèrent le champ magnétique et ses fluctuations. Après tout, Émile Thellier (1904-1987), un scientifique français qui travaillait sur ce sujet, nous avait prévenus quand il décrivait le champ magnétique terrestre comme « un personnage toujours un peu fermé, même pour ses intimes » doté d'« une solide réputation de compliqué et d'énigmatique ». ●

Remerciements à Gauthier Hulot, chargé de recherches au CNRS, qui dirige l'équipe de magnétisme spatial à l'Institut de physique du globe de Paris.

# Un électroaimant géant sous nos pieds

Pour découvrir le secret du champ magnétique terrestre, il faut s'offrir un voyage au centre de la Terre *(voir dessin ci-dessus)*. Au plus profond des entrailles de notre planète, il y a la graine, constituée de fer solide. Autour d'elle, tourbillonne le noyau liquide, une énorme masse de métal fondu, aussi fluide que de l'eau. Ce métal est essentiellement composé de fer. Les électrons passant facilement d'un atome de fer à l'autre, le noyau liquide constitue un excellent conducteur électrique, dont la particularité est d'être agité de remous semblables à ceux que l'on observe dans une casserole d'eau chaude. Or tout conducteur électrique qui se déplace dans un champ magnétique – en l'occurrence celui de la Terre – est traversé par un courant électrique.

Le courant ainsi généré dans le noyau liquide va, à son tour, engendrer un champ magnétique capable de faire circuler des électrons dans les profondeurs de la Terre, et ainsi de suite. Ce cycle entretient le magnétisme de notre planète. Mais comment cette machine infernale s'est-elle mise en route ? Il est possible que le champ magnétique du Soleil dans lequel baigne la Terre ait permis d'amorcer le cycle, même si, du fait de la distance qui sépare les deux astres, ce champ magnétique devait être assez faiblement ressenti sur notre planète. Ainsi, depuis ce coup de pouce du Soleil, notre électroaimant s'autoentretient, transformant une partie de la chaleur qui agite le noyau liquide en énergie électromagnétique.

# À LA CONQUÊTE DES MONDES VIRTUELS !

Prêt à partir à l'assaut de ces univers fantastiques peuplés de millions d'aventuriers qui partagent une même histoire ? Profitez-e la visite est gratuite. *SVJ* vous emmène à la découverte de ces continents irréels de plus en plus fréquentés...

PAR OLIVIER FÈVRE

ILLUSTRATION : DIDIER FLORENTZ

Mankind

# ENTREZ DANS UN UNIVERS PARALLÈLE

**«Ç**a y est ! On les a eus ! — Il était temps : toute ma puissance magique y est passée. Je suis littéralement vidé... — Y a-t-il des victimes de notre côté, Lord Griffon ?» Soulevant la visière de votre heaume, vous jetez rapidement un coup d'œil alentour. La grande salle des profondeurs de l'Antre de Malfosse est toujours aussi magnifique avec ses piliers majestueux et son pavage ocre agrémenté de lapis-lazulis. Sauf que les cadavres de créatures mons-

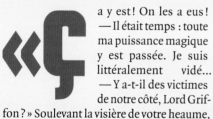

Everquest

trueuses gisent maintenant sur le sol... de même que les corps, pour l'heure sans vie, de quelques compagnons d'armes.

«Pas dans notre équipe, non, mais nos alliés ont morflé : sur les vingt-quatre qui ont participé à l'assaut, sept ont été envoyés dans les limbes. Dont Gwernaroth, tu sais, le Chevalier Blanc de Mythra...
— C'est vrai ? C'est pourtant lui qui a décimé la horde des Hommes-Lézards. Je pensais qu'il tiendrait le coup... C'est l'Ogre de Bahr-B'Arhy qui a dû l'avoir. Faut dire qu'il régénérait sans cesse !
— Voui. En tout cas, on a la pierre Sélène, maintenant. On va pouvoir libérer le peuple de Darmania du joug de la Dame Noire.»

Et, de fait, le magnifique joyau brille de mille feux dans son écrin de jade. Le saisissant d'une main gantée de cuir, vous pouvez désormais contempler en détail les 101 facettes de la pierre magique, éclatante comme la Troisième Lune. En fin de compte, le sacrifice pro-

visoire de vos compagnons — qui seront bientôt régénérés dans le temple d'un dieu bienfaisant — n'aura pas été vain : le monde de Darmania avait besoin d'eux pour reconquérir sa liberté... C'est maintenant chose faite !

## CHASSER LE TRÉSOR DEPUIS SON BUREAU

«Bon, ben va falloir que j'y aille, lancez-vous finalement à la cantonade, j'ai toujours mon devoir de maths à rendre avant demain. Je lance la commande pour que mon personnage suive le groupe. Et vous le ramenez en entier au bercail, hein ? Allez, à plus !»

Et hop ! vous voici aussitôt dans votre bureau à jongler avec des équations. Zut ! Le théorème de Machin, qu'est-ce qu'il dit, déjà ? Vous vous emparez prestement du bon bouquin qui vous révèle les mille et un secrets de Pythagore. Tiens, le Grec a belle allure, comme le montre son buste animé qui pivote lentement sur l'une des pages.

Ouf ! Terminé. D'un geste, vous déposez votre copie dans la e-boîte d'expédition : votre devoir sera directement transmis à l'ordinateur de votre prof qui l'imprimera quand il voudra. En tout cas, mission accomplie : il est 22 h 37 et la date limite de remise était 23 h ! Bon ben, c'est l'heure de reprendre votre lecture du *Seigneur des Anneaux*...

«Déconnexion bureau virtuel !» ordonnez-vous machinalement à votre ordinateur. Le décor s'efface progressivement :

Anarchy Online

Neocron

**Dark Age of Camelot**

*Mimesis*

la table, l'écran, la jolie bibliothèque en acajou et tous ses bouquins interactifs disparaissent de votre champ de vision… pour laisser place aux murs — bien réels, cette fois — de votre chambre. Vous ôtez vos lunettes 3D, vos digi-gants et la paire d'écouteurs de vos oreilles, et vous voici totalement déconnecté de l'environnement virtuel. Seul votre ordinateur, relié à l'Internet à haut débit, continue de ronronner dans un coin…

Fiction ? Pur délire inspiré d'un film futuriste ? Loin de là ! À l'image de Lord Griffon et de ses compagnons, des millions de joueurs vivent déjà des aventures épiques grâce à leur ordinateur, engoncés dans leurs armures médiévales ou armés de sabres-lasers. Quant à accéder à son bureau virtuel dans le cyberespace — voire à des lieux de rencontres, des commerces ou des cités entières —, la technologie existe déjà et ce n'est plus qu'une affaire de deux-trois ans, voire de quelques mois…

Pour l'heure, les mondes virtuels qui existent sont des jeux hébergés sur Internet. Seule sa toile tentaculaire permet en effet à de nombreux visiteurs de partager un même univers dont les milliards de données sont stockées dans le ventre de silicium de puissants ordinateurs.

Les mondes d'*Everquest* ou d'*Asheron's Call*, par exemple, partagent une ambiance médiévale-fantastique où rodent chevaliers et

magiciens, barbares, brigands… et des bataillons de créatures monstrueuses. Dans *Anarchy on Line*, en revanche, vous êtes téléporté en l'an de grâce 29 475, sur la petite planète hostile de Rubi-Ka. Pour s'assurer le contrôle d'un minerai des plus rares, un régime quasi totalitaire y a été instauré, mais des clans rebelles tentent de le renverser…

# MOYEN ÂGE OU MONDE FUTURISTE ?

Quel que soit le terrain de jeu, tous ces univers ont un point commun : leur contexte (ou « background ») est profondément fouillé. Géographie, histoire, peuples, faune, flore, ressources naturelles, technologies, etc., tous ces éléments sont développés avec force détails par une ri-

**Asheron's Call**

bambelle de créateurs, illustrateurs, artistes, scénaristes… avec souvent la participation d'historiens et de spécialistes en tout genre. Objectif : permettre aux joueurs de prendre place dans des mondes cohérents et en constante évolution. Et ce, grâce aux versions modernes de deux grandes catégories de jeux traditionnellement pratiqués sur table.

D'abord les jeux de stratégie — inspirés des jeux de guerre ou de bons vieux jeux de plateau (du *Monopoly* à *Risk*, pour faire simple) — qui visent à la conquête militaire, diplomatique et/ou commerciale d'un univers développé à l'échelle d'une galaxie, d'une planète ou d'un continent. *Fondation* ou *Mankind* sont de cette veine-là : ils proposent une simulation remarquable de nombreux paramètres (économie, exploitation des ressources, bonheur des populations, construction d'armées ou de vaisseaux spatiaux, etc.), de sorte que l'on doit déployer des trésors d'ingéniosité pour étendre son propre empire face à des centaines ou des milliers d'autres joueurs.

La seconde catégorie est directement inspirée des jeux de rôle sur table, comme le fameux *Donjons & Dragons*. Apparus au milieu des années 70, ces jeux proposaient déjà une forme originale d'interactivité en permettant d'incarner un personnage évoluant au fil de ses expériences dans un univers imaginaire. Aujourd'hui, la grande majorité des jeux en ligne sont calqués sur ce deuxième modèle.

# VIVRE LA GRANDE AVENTURE

**P**ourquoi est-il si réjouissant de jouer dans des mondes virtuels ? D'abord parce que la qualité graphique des environnements 3D est tout bonnement exceptionnelle. Mais cette maturité technologique n'explique pas tout. Ce qui compte davantage, c'est la possibilité de changer d'identité, d'incarner un autre. Dans ces univers alternatifs, vous jouez un rôle à mille années-lumière de votre quotidien. Que ce soit un chevalier protecteur, un puissant sorcier ou un barde talentueux dans un monde médiéval-fantastique (comme *Everquest*, la *Quatrième Prophétie*, *Dark Age of Camelot* qui s'inspire du cycle de la Table Ronde). Ou un survivant dans un monde post-apocalyptique ravagé par la famine, la guerre ou les espèces mutantes (*Anarchy Online*, *Mimesis*, *Neocron*, etc.). Et pourquoi pas un aventurier des étoiles (*Mankind*, *Earth and Beyond*, *Fondation*, etc.), éventuellement aux prises avec des robots sur une planète tout juste colonisée (*Entropia*).

Certes, ces univers s'inspirent largement du cinéma ou de la littérature, mais avec une différence de taille : fini l'identification passive au héros imposé ! Aux oubliettes le pur spectacle contemplatif d'un scénario figé, du premier dialogue à l'ultime dénouement ! Place à la liberté d'action : votre alter ego numérique (généralement baptisé « avatar ») apparaît à l'écran, en cotte de mailles, en combinaison de survie ou bardé d'armes futuristes. Vous le menez où vous le souhaitez, faites ce que vous voulez. Bref, vous êtes totalement maître de sa destinée.

Mais le fin du fin — et somme toute l'intérêt majeur des mondes virtuels —, c'est que vous n'êtes pas seul ! L'univers est peuplé et partagé par des dizaines de milliers d'autres joueurs au même instant. Conséquence : vous ne percevez pas uniquement votre environnement, mais aussi tous ceux qui l'occupent ! Vous pouvez donc interagir avec eux, discuter, échanger des objets... Et ne craignez pas de débarquer, tout penaud, au milieu de héros surpuissants : ce n'est pas forcément la loi de la jungle de l'autre côté du miroir.

## ÉTUDIANT LE JOUR, HÉROS LA NUIT

Puisqu'il s'agit avant tout d'incarner un rôle, des joueurs se sont progressivement associés autour d'objectifs communs. Par exemple pour prêcher la non-violence, instituer une nouvelle religion pangalactique ou créer un ordre chevaleresque. Résultat : des clans se sont d'abord formés, puis leur audience s'est accrue. Au point de constituer de véritables communautés, autrement baptisées « guildes », qui se sont prises au jeu de développer leur « univers » dans l'univers. Des milliers de sites Internet proposent ainsi un nombre incommensurable d'informations à propos de ces guildes : charte à respecter, histoire de leur fondation, blasons, généalogie, implantations, biographie des héros, etc. Ces guildes créent aussi des lettres d'infor-

## Nécessaire de voyage

Comment faire pour partir à l'aventure dans un jeu en ligne massivement multijoueur ?

• Avant tout, disposer d'une connexion à haut débit (ADSL ou câble). C'est indispensable pour la plupart des jeux, et fortement conseillé pour les autres.

• Sans devoir disposer d'un micro-ordinateur dernier cri, une machine relativement rapide est nécessaire pour assurer la fluidité du jeu : traitement des données, affichage des graphismes (de plus en plus beaux), etc. Chaque jeu indique les configurations « minimales » et « conseillées » pour en profiter. Mieux vaut se baser sur la seconde.

• Prévoir un abonnement mensuel de l'ordre d'une quinzaine d'euros (plus ou moins selon les titres). Mais attention : le paiement s'effectue quasi exclusivement par Carte Bleue et vos parents doivent en être informés !

• Vérifier absolument que le jeu est accessible pour votre tranche d'âge. Dans tous les cas, il est d'ailleurs fortement déconseillé aux plus jeunes (disons moins de 14 ans) de se lancer seuls dans ce genre d'aventure.

mation, mettent en place des forums où les joueurs se retrouvent... Conséquence : non seulement elles accueillent cordialement les nouveaux joueurs et leur mettent le pied à l'étrier, mais elles développent aussi considérablement le monde qui les abrite, lui donnant une profondeur imprévue.

L'objectif purement ludique des univers mis en place est dès lors dépassé : guildes et joueurs se les sont appropriés pour jeter les bases de nouveaux mondes attachants et captivants, au-delà de la seule aventure personnelle. Par un biais inattendu, ils ont rejoint en cela les objectifs d'autres Internautes qui ont créé sur le Net... des nations virtuelles ! Des pays imaginaires peuplés de « citoyens » qui refont sans cesse le monde pour y vivre une existence parallèle. On comprend mieux, dès lors, que les jeux massivement multijoueurs ne sont pas exclusivement pratiqués par des ados ou des étudiants : des adultes de tous les âges sont également passionnés par ce loisir et ses à-côtés communautaires.

# LA RÉVOLUTION DES IMAGES

Sans trop exagérer, on pourrait presque dire que la fin du XXᵉ s. a constitué la préhistoire du divertissement numérique, tandis que l'an 2000 a coïncidé avec l'an I d'une nouvelle ère vidéo-ludique. Car du *Pong* (1972) aux jeux pratiqués en réseau local (fin des années 90), et jusqu'aux mondes virtuels actuels, les évolutions technologiques sont spectaculaires !

Sommairement, on est progressivement passé du jeu quasiment en une dimension (1D) à la 2D, puis à la 3D. La qualité des images — finesse des détails, variété des couleurs... — s'est démultipliée d'un facteur de l'ordre du milliard... Et puis, surtout, l'ordinateur n'est plus le principal adversaire de nos joutes informatiques : l'intelligence artificielle de ces bébêtes de silicium est encore limitée, et rien ne procure plus de plaisir que les réactions riches, variées, inattendues, voire géniales d'autres joueurs.

Résultat : quelque 5 millions de joueurs se projettent aujourd'hui régulièrement dans un univers parallèle. Ils sont répartis sur toute la planète, de la Corée du Sud aux États-Unis (pays hyperbranchés), en passant par l'Europe ou le Japon.

Pour mesurer cette évolution, voici les grandes étapes qui ont marqué trente années de jeux vidéo. À partager avec vos parents qui se souviennent peut-être d'avoir tortillé devant les assauts d'aliens dans *Space Invader* ou les couic-couic énervants d'un Pac-man glouton...

## JEUX VIDÉO

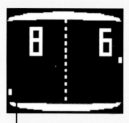

### PONG

C'est le grand ancêtre du jeu vidéo, et la première console à entrer dans les foyers. Des familles entières se sont éclatées (si, si !) devant cette « simulation de tennis » réduite à sa plus simple expression. Comme votre seule liberté consiste à faire monter ou descendre votre simili-raquette (réduite à une barre verticale), on peut presque dire que ce jeu est en... 1D (une dimension). Côté couleurs ? Ben y en a pas : noir et blanc, c'est bien suffisant !

### SPACE INVADER

Autre figure marquante, *Space Invader* est indissociable du méga-succès de l'Atari 2600, une console de jeu familiale qui tiendra le haut du pavé... quelque dix années durant ! Il s'agit de dégommer des cohortes d'extraterrestres qui se rapprochent inexorablement du sol. Notez l'apparition de la couleur et une résolution (finesse des détails) dopée par rapport au *Pong*.

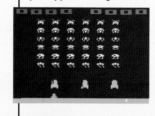

### PACMAN

Pacman est un « glouton » jaune qui gobe à pleines dents des pastilles semées dans les couloirs d'un labyrinthe, tout en évitant de se faire croquer par de chafouins fantômes. C'est simple mais efficace : succès absolu dans le monde entier ! Surtout, ce jeu marque l'apparition d'une 2D véritable : il vous est enfin possible de vous déplacer un peu partout à l'écran.

### DONKEY KONG

Mario, le plus célèbre plombier du monde, envahit les lucarnes ! Pour sauver sa bonne amie (Pauline, pour les historio-ludophiles) des griffes d'un gorille malin comme... heu... un singe, le bonhomme Mario déjoue une succession de pièges, niveau après niveau

(archétype du jeu d'arcade). *Donkey Kong* eut un retentissement planétaire dès sa sortie et marque l'avènement du premier grand héros multimédiatique.

## 1972    1977    1980    1985

## SUR INTERNET

### MUD1

MUD1 est le nom de code d'un nouveau type de jeu, le Multi-Users Donjon (Donjon Multijoueur). Directement inspiré des jeux de rôle, il permet à des participants partout dans le monde de partager une même aventure via Internet. Seule différence : les dialogues autour d'une table sont remplacés par des messages adressés sur le réseau.

### HABITAT

*Habitat* est le premier environnement graphique spécialement dédié aux communautés virtuelles : rencontres, discussions, échanges, etc. Aucune dimension ludique, mais une innovation de marque : dans ce « monde » accessible via Internet, vous êtes pour la première fois représenté par un avatar, votre double numérique. Les paroles de chacun sont affichées dans des bulles de BD...

## MYST

Myst ne propose pas une action délirante ni le recours à la 3D. Mais son « univers » a séduit des millions de joueurs, en introduisant un travail graphique exceptionnel. Les décors sont fouillés, léchés, détaillés ; il en va de même pour le scénario et le contexte (« background » pour les branchés). En ce sens, on peut considérer Myst comme le premier grand univers vidéo-ludique.

## ALONE IN THE DARK

Comme son nom ne l'indique pas, ce jeu est français et peut se targuer d'être le premier jeu en 3D ! Dans cette aventure horrifique inspirée de l'œuvre de Lovecraft, tous les personnages sont certes un peu géométriques. N'empêche, la notion de profondeur apparaît dans les décors que l'on peut observer sous toutes les coutures. Le cap de la 3D dynamique est enfin franchi ; la prochaine révolution ne viendra qu'avec des jeux pratiqués dans un environnement « immersif » (voir pages suivantes).

## DOOM

Doom est le premier grand succès planétaire en matière de « first person shooter » (jeu de tir à la première personne) : votre but est d'abattre un maximum de méchants et le tout est réalisé en 3D dynamique. De plus, vous découvrez l'environnement en « réalité suggestive », soit tel que l'observe virtuellement votre incarnation numérique. En revanche, aucun accent réel n'est mis sur le « background ».

## EVERQUEST

Après quelque trente années d'évolution, le monde du jeu vidéo accouche d'Everquest, qui synthétise toutes les avancées majeures. Entièrement réalisé en 3D dynamique, il propose un vaste univers persistant (qui « vit » même quand l'ordinateur est éteint), une bonne dose d'action en temps réel et des graphismes superbes. Les joueurs s'associent en communautés virtuelles (« guildes ») qui participent à son développement. Depuis, tous les jeux de rôle en ligne sont calqués sur le même principe.

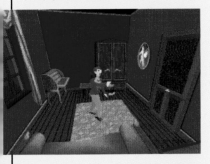

# 1992    1993 1996 1997 1999

## MERIDIAN 59

En alliant MUD et environnement graphique, on obtient un rejeton naturel : le MMORPG (Massivly Multiplayer Online Role Playing Game). Traduisez : jeu de rôle en ligne massivement multijoueur. Meridian 59 est le premier du genre mais reste somme toute très basique quant à la qualité des images.

## ULTIMA ONLINE

C'est le premier grand jeu de rôle en ligne un peu « mythique ». Certes l'image demeure en 2D « isométrique » (fausse perspective),

mais l'univers d'Ultima a su séduire d'emblée des dizaines de milliers de joueurs. Il faut dire que la saga avait déjà fait le bonheur des aficionados de jeux micro. Avec Ultima Online, Internet devient le nouveau terrain de jeu des ludomaniaques.

# TOUJOURS PLUS DE SENSATIONS

Une nouvelle ère du virtuel s'annonce déjà avec les technologies en cours de mise au point qui permettent de retrouver dans ces environnements factices des sensations proches de la réalité (vue, ouïe, toucher et odorat). Ainsi, même si les images d'un jeu sont calculées en 3D, vous n'en percevez aujourd'hui qu'une projection en 2D sur votre écran. Le nust ne serait-il pas de plonger carrément dans le décor, de se sentir « environné » par des images 3D ? C'est déjà possible grâce à quelques laboratoires de pointe qui bruissent des perfectionnements de ce qu'il convient d'appeler pompeusement les « interfaces homme-machine ».

## ÉQUIPÉ POUR PLONGER DANS LA 3D

Pour l'heure, ces différentes techniques sont utilisées dans de nombreux domaines professionnels. Des pilotes d'avions s'exercent ainsi dans des simulateurs de vol. Des ingénieurs peuvent observer l'écoulement de fluides dans un moteur comme s'ils étaient à l'intérieur. Des architectes peuvent faire visiter virtuellement bâtiments, jardins et esplanades à leurs clients... avant même que ne soit posée la première pierre !

Plus largement, le grand public peut d'ores et déjà tirer parti de ces technologies pour, par exemple, visiter un site antique comme Olympie. Grâce à des lunettes 3D et des capteurs de position, ils voient sur les ruines se dessiner en surimpression ce que furent les bâtiments du temps de leur splendeur. On parle dès lors de « réalité augmentée » dans la mesure où réel et virtuel se mêlent harmonieusement.

Quant aux manettes à retour de force qui équipent certains micros ou consoles de jeux, elles reposent ni plus ni moins sur le principe de l'exosquelette ! (*Voir ci-contre*) Ce qui permet de simuler certains phénomènes comme les à-coups de la démarche d'un robot, le tir et le recul de toutes sortes d'armes, les vibrations d'un moteur en fonction de son régime, etc.

En fin de compte, c'est peu dire que nos sens vont être soumis à toutes sortes d'illusions dans les prochaines années. Comme toujours, plus de colons vont peupler les nouveaux mondes virtuels ludiques, ce marché va encourager le développement d'interfaces grand public, de plus en plus abordables.

Or ce qui est valable pour le jeu l'est pour d'autres applications. Se rencontrer *de visu* sur le Net, décorer son pied-à-terre ou organiser son bureau virtuel, voire naviguer à terme dans un cyberespace « habitable » et modulable, entièrement libéré des contraintes physiques. Qui sait si l'Internet du futur ne sera pas un Nouveau monde à part entière. Alors, peut-être y serez-vous accueilli par ces mots adressés au héros du film *Matrix* : « Bienvenue dans la Réalité »... L'autre réalité. La Réalité virtuelle. ⬤

Remerciements à Franck Veillon, enseignant-chercheur à Paris VIII et Paris IV.

ILLUSTRATION : MICHEL SAEMANN

**1 VISIOCASQUE**

L'environnement s'affiche en stéréoscopie : deux images légèrement décalées sur deux mini-écrans placés devant chaque œil. Résultat, une grande partie du champ de vision est couvert — en gros 180° horizontalement et 120° verticalement — et on a l'impression de tout voir en relief... Immersion garantie !

**2 MODULATEUR DE SON**

Les écouteurs transmettent des sons traités par l'ordinateur pour qu'il donne l'illusion d'une perception en 3D de l'environnement, en jouant sur le volume, l'atténuation, la réverbération, etc. des signaux auditifs perçus par chaque oreille.

**3 GANT DE DONNÉES**

Grâce à des capteurs, le dispositif mesure en temps réel les déplacements des doigts et de la main. L'ordinateur intègre et tient compte de ces mouvements dans l'environnement virtuel, ce qui permet d'interagir avec lui : saisir et manipuler un objet, brandir et manier une épée, caresser l'encolure d'un cybercheval, faire bisquer le cerbère à trois têtes de Harry Potter... ou tapoter sur un clavier impalpable, qui n'a pas d'existence réelle mais qui s'affiche devant vous grâce aux lunettes 3D.

**4 EXOSQUELETTE**

Adaptable à une main ou un bras, il a l'avantage de produire une réponse « haptique » (liée au sens du toucher) des plus réalistes. Si, par exemple, on tente de saisir une banane virtuelle, des capteurs mesurent la force exercée par les doigts. En retour, l'ordinateur calcule la force de réaction qu'exercerait le fruit dans la réalité, puis anime l'exosquelette grâce à un jeu de pistons et de micromoteurs. Résultat : tout se passe comme si on ressentait la résistance de la banane au moment de la saisir... sans la faire exploser ! L'illusion est tout aussi réaliste quand il s'agit de ressentir la force d'une tornade ou l'agréable fraîcheur de l'eau d'une cascade.

**5 COMBINAISON INTÉGRALE**

Fabriquée sur le modèle du gant de données et réalisée dans des textiles synthétiques épousant parfaitement la morphologie, elle permet de capter les moindres attitudes de tout ou partie du corps.

**POUR EN SAVOIR PLUS**

• Un portail de jeux en ligne : www.mondes persistants.com Une fédération de nations virtuelles : alliance.bondurand.com
• *Le Samouraï virtuel*, par Neal Stephenson, éd. Le Livre de poche
• *Avalon*, de Mamoru Oshii (2001)
*Le Cobaye*, de Brett Leonard (1992)

# TOMBÉS DU CIEL

**Sauter à plus de 4 000 m d'altitude pour chuter à une vitesse de 200 km/h : il faut être fou pour le faire ? Non, plutôt superentraîné. Découvrez ces as du parachutisme qui n'ont pas froid aux yeux. Attention, ça décoiffe !**

PAR OLIVIER LASCAR ; PHOTOS : BLAISE CHAPPUIS/RAPSODIA

## 100 % ADRÉNALINE

Un bain bouillonnant d'adrénaline, une sensation de liberté totale, un déploiement du corps dans les trois dimensions... Bienvenue au royaume de la chute libre ! Après avoir fait le grand saut hors de l'avion, à plus de 4 000 m d'altitude, ces trompe-la-mort savourent un court et vertigineux saut de l'ange. Durant lequel ils fendent les cieux le surf aux pieds *(à droite)* ou exécutent à plusieurs des figures géométriques complexes *(ci-dessous).*

## TIR GROUPÉ

1, 2, 3, 4, 5, 6, 7... 8 ! Quand une grappe de voltigeurs s'élancent ensemble, il s'agit de ne pas s'emmêler les pinceaux !

## MAIN DANS LA MAIN

Un saut à deux, c'est plus intime. Et moins bondé que le record actuel de vol en grande formation : une phénoménale figure géométrique exécutée dans le ciel de l'Arizona par 300 parachutistes !

# CHUTE LIBRE

## HAUTE VOLTIGE

La chute libre a ses variantes, comme le vol relatif qui consiste à sauter à plusieurs pour former dans le ciel des dessins géométriques. En compétition, les voltigeurs doivent réaliser un enchaînement de figures imposées durant le court laps de temps qui précède l'ouverture du parachute.

## BAPTÊME EN TANDEM

Voici un baptême de l'air, catégorie chute libre.
Le maître et l'élève viennent de sauter de l'avion
qui, à quelques dizaines de mètres derrière eux,
plonge vers le plancher des vaches. Le néophyte
est attaché par un harnais sous son moniteur, qui
traîne derrière lui une boule de toile : elle fait office
de ralentisseur. Cette minivoile gonflée par les
vents tourbillonnants permet de ramener la vitesse
des deux hommes à environ 200 km/h (vitesse
moyenne d'un seul parachutiste en chute libre).
Sans ce frein, elle peut atteindre à deux 300km/h !

## FANTAISIE
## À LA VERTICALE

Petite démonstration de «Freefly»,
une des dernières-nées des pratiques
parachutistes. En position assise
ou droit comme un «i», l'adepte du vol
libre atteint les 250 km/h. Le tube
de toile qu'il traîne derrière lui
ne modifie guère son vol, mais forme
un axe autour duquel les deux autres
parachutistes exécutent d'étonnantes
pirouettes aériennes.

# CHUTE LIBRE

## HOMME-OISEAU

Avoir des ailes entre les jambes et sous les bras, ça change tout ! Vêtu de ce « Flying Suit », littéralement « costume volant », le parachutiste réduit considérablement sa vitesse de chute, qui passe en moyenne de 200 à 120 km/h. De plus, il peut avancer en position horizontale. Ce qui permet d'incroyables — et rarissimes — exploits, comme sauter d'un avion et remonter à son bord pendant son retour vers le sol !

## TRÈS TRÈS HAUTE TENSION

Derrière le rictus, on devine l'extase... C'est le fruit d'un sacré boulot : goûter aux joies du Skysurf ou autre Freefly, ça nécessite un long entraînement. Car tous ces joyeux casse-cou sont des spécialistes émérites du parachutisme « normal ». Ils ont des centaines voire des milliers de sauts derrière eux !

Remerciements à la parachutiste-photographe Séverine Brussoz.

POUR EN SAVOIR PLUS :
Fédération française de parachutisme :
www.ffp.asso.fr/depart.htm

# CHAUD DEVANT !

**Fière allure, le skysurfeur ! Durant les quelques 40 secondes que dure la chute libre, ce sportif de l'extrême réalise une véritable chorégraphie aérienne. C'est seulement à 1 200 ou 1 000 m d'altitude qu'il ouvrira son parachute.**

# SURF SUR COUSSIN D'AIR

**La glisse en plein ciel ? C'est une discipline qui nécessite des muscles d'acier ! Sans quoi il est impossible de contrer les fantastiques courants aériens qui menacent à chaque instant de vous envoyer valdinguer dans tous les sens.**

# Crédits photographiques